Psychologie de la vie adulte

JEAN-PIERRE BOUTINET

Directeur de l'Institut de recherches fondamentales et appliquées (IRFA)
d'Angers
Professeur à l'Université catholique de l'Ouest
Institut de psychologie et de sociologie appliquées
Professeur associé aux Universités de Sherbrooke (Canada)
et de Genève (Suisse)

Troisième édition mise à jour

10e mille

DU MÊME AUTEUR

Anthropologie du projet, Paris, PUF, 1990 (6e éd. en 2001).
Psychologie des conduites à projet, Paris, PUF, coll. « Que sais-je ? », 1993 (3e éd. en 1999).
L'immaturité de la vie adulte, Paris, PUF, 1998 (2e éd. en 1999).

En collaboration avec P. Cousin et M. Morfin :

Aspirations religieuses des jeunes lycéens, Paris, L'Harmattan, 1985.

Sous la direction de :

Du discours à l'action, les sciences sociales s'interrogent sur elles-mêmes, Paris, L'Harmattan, 1985.

Collectif :

Le projet, un défi nécessaire face à une société sans projet, Paris, L'Harmattan, 1992.

ISBN 2 13 053156 3

Dépôt légal — 1re édition : 1995
3e édition mise à jour : 2002, novembre

Introduction

L'ADULTE EN QUESTION(S), UNE QUESTION D'ACTUALITÉ

Évoquer la vie adulte c'est parler d'une situation qui nous est très familière parce que nous l'expérimentons nous-mêmes ou parce qu'il nous est donné de vivre en contemporanéité avec des personnes qui se disent adultes. Évoquer la vie adulte c'est par ailleurs prendre le parti de situer l'existence en lien avec les classes d'âge, leurs relations, leur devenir ; l'adulte gagne en effet à être intégré dans une perspective évolutive, c'est-à-dire dans un ensemble qui n'a pas dans notre langue de dénomination mais que les Anglo-Saxons appellent *life-span*[1] ; cette perspective évolutive est double :

- d'abord personnelle au regard de l'enfant que chaque adulte a été et de l'aîné qu'il est censé devenir ;
- ensuite sociale vis-à-vis des jeunes avec lesquels l'adulte vit présentement, et des personnes âgées qu'il côtoie.

Par-delà la familiarité des apparences à propos d'une situation existentielle qui nous est commune, quels sont les enjeux qui se profilent derrière les évidences de la situation d'adulte ?

1. Une traduction approximative risquée de *life-span* serait : l'étendue des âges de la vie pris dans leur ensemble.

I. – Sensibilités déployées autour des âges de la vie

Chaque époque a sa façon de privilégier un âge de la vie ; si la Renaissance, en continuité avec l'époque médiévale s'est surtout intéressée à l'enfant, par exemple en peinture à travers le *putto*, le siècle des Lumières quant à lui a cherché à valoriser le chérubin, dans sa littérature notamment, comme peut en témoigner Beaumarchais ; plus près de nous, courant XIXe siècle et première moitié du XXe siècle, nous assistons grâce à la montée en puissance de la scolarisation à la valorisation des jeunes, pré- puis post-adolescents.

L'allongement continuel de l'espérance de vie, l'apparition dans les années 1970 d'une civilisation des loisirs vont faire se déplacer le centre d'attention des jeunes vers les personnes âgées, personnes dites du troisième âge ; la dénomination de cette nouvelle séquence de vie apparaîtra d'ailleurs vite comme trop imprécise ; aussi va-t-on lui accoler une appellation complémentaire pour désigner toutes ces personnes très avancées en âge au bord de la dépendance ou dépendantes de par leur état de santé, les personnes du quatrième âge. Au-delà du premier âge, des troisième et quatrième âge, qu'en est-il donc du deuxième âge ?

II. – L'émergence de préoccupations convergentes en direction de la vie adulte

Notre culture postmoderne, qui se situe en aval de la grande ère de l'industrialisation semble justement à travers différents signes porter aujourd'hui son attention sur ce second âge, l'âge adulte qui est en principe le plus long de l'existence puisqu'il dure une quarantaine d'années[1].

1. R. Bedard dans Recherches en psychologie de l'adulte, *Revue des sciences de l'éducation,* VII, 3, 1985, p. 393-415 définit conventionnellement l'âge adulte entre la période d'intégration aux environs de 25 ans et la période de la mise à la retraite aux alentours de 65 ans.

Un tel âge a été laissé jusqu'ici au second plan, car l'adulte fut toujours considéré comme l'âge de l'évidence, celui de la norme, du modèle de référence ; il constituait l'aune à laquelle les autres âges de la vie étaient ramenés et appréciés ; déjà en 1963 G. Lapassade en s'interrogeant sur la norme adulte nous invitait à déconstruire cet âge-étalon qui cessait de plus en plus à ses yeux d'être évident : pour reprendre les propos de Lapassade, l'adulte-étalon nous est vite apparu, face aux différents changements sociaux qui n'ont cessé de nous assaillir, comme un concept trop conforme alors au modèle institué dominant de l'adulte blanc, occidental, mâle et de classe moyenne, être rationnel et performant. En ce sens la notion d'adulte peut être considérée, P. Dominice (1990) le souligne opportunément, comme un analyseur de la dimension idéologique de la représentation de soi.

Avec l'émergence des « nouveaux adultes » qu'il croyait voir venir et qu'il définissait à travers une pensée de l'inachèvement et de l'autonomie, G. Lapassade entendait substituer une logique plurielle à une logique singulière. Il anticipait une période, celle de la postmodernité, de la fin des évidences et de la montée des préoccupations autour des adultes. Or cette culture postmoderne amène avec elle dans le passage d'une société de production à une société de communication une incertitude radicale sur nos modes de vie, un brouillage des âges, une contestation des repères et cadres de référence à partir desquels les adultes pouvaient auparavant penser leur existence ; nous sommes désormais pris dans un tourbillon de changements qui laissent l'adulte seul face à lui-même.

Dans cette culture postmoderne, l'adulte se trouve désormais aux prises avec la *Société Pygmalion* (Tap, 1988) qui par les conflits, les crises, les oppositions, les replis, les identifications, les marginalisations requiert d'avoir à relever le défi d'une interconstruction à réinventer de la personne et des institutions. Certes par l'intermédiaire d'une théorisation des pratiques de formation permanente notamment, les pays germaniques et anglo-saxons s'étaient préoccupés depuis la fin du XIXe siècle déjà d'une compréhension de cet âge de la vie qu'est l'étape adulte ; mais ces pays l'ont fait principalement sous l'angle des seuls apprentissages. C'est depuis une vingtaine d'années seulement que les universités d'Amérique du Nord notamment multiplient les études sur l'adulte et sa psychologie à travers la mise en perspective des *life-span, life-course, life-cycle,* les logiques de *development* et de *aging.* La France quant à elle, pendant longtemps toute accaparée par une psychologie de l'enfant et de l'adolescent, ne s'est pas vraiment intéressée à la vie adulte en tant que telle ; c'est une préoccupation qu'elle semble découvrir en période généralisée de crise, lorsque l'adulte est vraiment malmené et doit recourir à un centre de bilan, à un diagnostic de ses capacités, à une formation, à une remobilisation ou une réorientation approfondie.

III. – Un champ sémantique nouveau

Au-delà de la formation permanente, le questionnement autour d'une psychosociologie de la vie adulte reste donc récent ; ainsi les psychologues, en se libérant progressivement des tendances culturelles ambiantes, vont-ils par-delà l'enfance, l'adolescence et la vieillesse faire désormais porter leur regard aussi sur cet âge intermédiaire entre l'adolescence et la retraite ; un tel âge n'est plus aujourd'hui celui de la rivière étale sur laquelle l'individu pouvait faire voguer ses idéaux d'autonomie et de responsabilité ; c'est un âge qui est devenu problématique à plus d'un titre ; pour s'en convaincre observons entre autres les efforts de notre langue : cette dernière pour montrer l'intérêt tout nouveau qu'elle portait à cette catégorie d'âge perçue comme problématique, a forgé récemment dans le champ sémantique de la vie adulte plusieurs concepts inédits considérés comme plus appropriés pour cerner une réalité devenue capricieuse : ceux notamment d'andragogie, de maturescence, d'adultescence, d'adultité, d'adultat, de carriérologie pour ne pas parler de la maturité vocationnelle.

Un tel champ sémantique destiné sans doute à se diversifier encore constitue un réel enrichissement au regard du seul concept d'adulte ; certes ce dernier apparaît bien générique et trop globalisant s'il veut désigner à travers les différentes époques et les cultures, l'individu parvenu à la majorité de son âge. L'aborder c'est donc se soucier de spécifier les constantes et les variations qui le traversent. Car un tel concept a été l'objet de trop peu de théorisations.

Ce sera l'objet du présent travail que de tenter à l'heure où la vie adulte retrouve une actualité centrale d'esquisser des repères de compréhension pour cerner ce temps malmené de l'existence qui sépare l'âge d'une *insertion précaire* de celui d'une *sortie critique*. Il nous faudra souligner ce paradoxe d'une fragilité de l'adulte dans une société comme la nôtre, qui pourtant se prétend elle-même adulte par rapport à ses devancières.

IV. – Des mutations psychologiques et culturelles à prendre en compte

Menacés hier par les risques d'exploitation et d'aliénation d'une société soucieuse de capitaliser, les adultes au travail gardaient malgré tout une place sociale, si inconfortable fût-elle ; aujourd'hui au-delà de l'exploitation et de l'aliénation toujours en vigueur, la principale préoccupation de l'adulte est justement liée à cette place qui lui échappe, qui est à sauvegarder, qui peut lui être ravie à tout moment, faisant de lui un exclu potentiel ; les mécanismes de marginalisation et d'exclusion constituent en effet une épreuve redoutable et visent bon an mal an toutes les catégories d'adultes de notre société. Ces mécanismes nous placent face à une *désinstitutionnalisation du cours de la vie* qui en quelques décennies lamine statuts, repères et rôles. Pour être affronté, un tel défi implique des capacités d'adaptation psychologiques appropriées ; il risque de générer des effets déstabilisants caractéristiques.

D'où cette nécessité nouvelle qui s'impose à nous aux confins du IIe millénaire de notre ère de comprendre cette catégorie d'âge qui se trouve aux leviers de commande de notre société. Nous pressentons donc l'intérêt de faire porter notre attention sur l'étude d'une psychologie de la vie adulte face aux mutations sociales et culturelles du statut de l'adulte, confronté à une crise de l'insertion et de la mobilité, à une absence de plus en plus notoire de repères, à un allongement de l'existence qui pourra paraître insupportable au regard de fidélités et continuités à assumer. Toutes ces mutations confinent souvent les individus à des nouvelles situations d'infantilisation et de dépendance, de marginalisation, voire d'exclusion ; ces situations s'avèrent d'ailleurs paradoxales dans la mesure où dans le même temps elles exacerbent les volontarismes pour soi-disant conjurer la montée des précarités.

V. – Une lecture plurielle d'un concept extensif

Étudier l'adulte comme catégorie d'âge spécifique apparaît donc opportun avec cette réserve qu'une telle catégorie qui intègre en son sein de nombreuses classes d'âge ne saurait être considérée comme monolithique ; elle se montre relativement voire trop extensive ; devant une telle extension les propos qui suivent pourront apparaître beaucoup trop généraux ; ils devront se soucier d'être déclinés au pluriel comme nous invite à le faire P. Dominice lorsqu'il parle des adultes et de leurs psychologies. Quoi qu'il en soit, ces propos seront tributaires de la situation culturelle inédite qu'est la nôtre : une telle situation confronte l'adulte à des défis tout à fait spécifiques qui en arrivent même à changer la signification de ce que traditionnellement on pouvait entendre jusqu'ici par adulte.

C'est donc pour le moins une triple approche qui est tentée dans le développement qui suit ; une approche psychologique de la vie adulte ne peut se comprendre en effet que si elle s'ouvre à des apports voisins pour justement éviter de proposer une lecture par trop réductionniste d'une réalité faite de complexité. Aussi cette lecture psychologique permettant de mieux situer l'avancée en âge de l'individu, son *aging* pour reprendre un concept anglo-saxon approprié, aura à s'appuyer sur deux lectures complémentaires, l'une sociologique campant l'adulte dans son utilité sociale, l'autre ethnologique précisant la nouvelle donne culturelle à laquelle se trouvent confrontés les adultes aujourd'hui ; à ces trois lectures, psychologique, sociologique, ethnologique, il faudra sans doute en rajouter une quatrième liée aux sciences de l'éducation s'interrogeant sur les capacités d'apprentissage et de changement dont se trouve porteur l'individu qui avance en âge.

Chapitre I

L'APPROCHE SOCIO-HISTORIQUE DE LA VIE ADULTE ; À PROPOS D'UN CONCEPT SÉMANTIQUEMENT FLOTTANT

L'actualité du concept d'adulte ne doit pas nous abuser sur ses origines fort discrètes ; pendant longtemps l'*adulte* n'a été considéré d'un point de vue grammatical dans notre langue que comme un qualificatif apparu à la fin du XIVe siècle pour signifier : *parvenu au terme de l'enfance*[1] ; ce qualificatif dérive du participe passé *adultus* qui appartient au verbe latin *adolesco* d'où est tiré notre substantif adolescence ; l'organisme adulte en toute rigueur étymologique est donc *celui qui a cessé de croître* que d'ailleurs cet organisme soit végétal, animal ou humain. On mesure alors la contradiction dans laquelle tombent bon nombre de nos dictionnaires modernes qui n'évoquent le qualificatif d'adulte qu'associé au substantif éducation : Peut-il y avoir une éducation des adultes sans perspective de changement, de croissance ? Ou alors n'est-il pas urgent de refonder le sens du terme adulte ?

I. – Du qualificatif au substantif, une fragile conquête

Le qualificatif d'adulte va se laisser progressivement substantiver dans le sens que nous lui connaissons actuellement à partir des XVIIIe et XIXe siècles ; encore au XVIIe siècle les théologiens recourent-ils à une expression

1. Cf. *Livres des bouillons de 1394.*

nominale pour désigner l'adulte : ils parlent d'*âge adulte, de baptême adulte* en opposition au baptême d'enfant ; c'est d'ailleurs surtout dans ce sens théologique que le qualificatif est alors employé. Il faudra attendre le début du XXe siècle pour que certains de nos dictionnaires reconnaissent de façon plus officielle la forme substantivée d'*adulte* ; en témoignent les différentes éditions *Larousse,* contrairement d'ailleurs au *Robert* qui, dans son purisme persiste à n'admettre que le seul qualificatif ; mais il est intéressant de constater que le *Dictionnaire de l'Académie française,* dans ses dernières éditions de 1994, adopte une position plus nuancée : « *adulte* est un qualificatif souvent employé comme nom » !

Le substantif d'adulte dans ses premières apparitions du courant XIXe siècle va comporter la signification originelle médiévale d'adolescent (parvenu au terme de l'enfance) ; un tel usage confondant adulte et adolescent se retrouve ainsi chez Balzac[1] qui ne fait alors que s'inspirer des dictionnaires de l'époque considérant la période adulte comme la phase terminale de l'enfance[2].

C'est dire que nous sommes là en présence d'un terme hérité d'une histoire chaotique et qui dispose encore maintenant d'un contenu sémantique fragile ; son actuelle utilisation substantivée doit bien signifier l'émergence de nouvelles préoccupations, que ce soit tant dans la vie courante que dans le langage scientifique ; la vie courante traite souvent de l'adulte à la mode anglo-américaine qui associe pour une part au concept d'*adult* une connotation de pornographie et de sexualité ; lorsque ainsi dans la fréquentation de certains spectacles

1. Dans *Député d'Ariès,* de 1847, Balzac écrit : « Aimer mieux un quinquagénaire qu'un adulte. »

2. J.-F. Feraud dans son *Dictionnaire critique de la langue française* de 1787, notait : « Rien ne peut donner la certitude que les qualités intellectuelles de l'adulte seront celles de l'homme mûr. » Mais un siècle plutôt en recourant au seul qualificatif, A. Furetière précisait en 1690 dans son dictionnaire à propos d'adulte « qui entre dans l'adolescence ».

ou de certaines émissions, nous éprouvons le besoin de préciser *Pour adultes,* nous signifions vouloir écarter les enfants de spectacles et émissions qui ne sont pas encore de leur âge parce qu'ils impliquent une dimension de sexualité à laquelle ils n'ont pas encore été formés. Quant au langage scientifique du biologiste comme du psychologue il est préoccupé d'identifier adulte et maturité (B. Zazzo, 1969).

II. – L'adulte comme idéal de référence

Voici encore très peu de temps, la vie adulte était facilement assimilée à un long fleuve tranquille, image spontanée que l'on se forgeait pour se représenter son déroulement, si des événements extérieurs ne venaient pas contrarier son cours ; ce fleuve était destiné à prendre en charge l'individu dès ses 20-25 ans pour le conduire insensiblement, dans le meilleur des cas, quatre décennies durant, jusqu'à l'âge de 60-65 ans ; cette large tranche d'âge est apparue jusqu'à ces dernières années comme celle qui s'imposait spontanément à travers une évidence qui désormais s'estompe.

Pendant longtemps l'idéal adulte a été entretenu à travers les hagiographies, les contes, les vies parallèles ; il s'agissait d'exemplifier la vie du héros ou du grand homme en montrant à travers faits et gestes que le lecteur était ici en présence d'une destinée accomplie, d'un idéal de vie considéré comme une référence incontournable. Et c'est parce que cet idéal était parfois pris en défaut à travers des dérèglements bien observables que l'on s'est évertué à constituer voici plusieurs décennies une psychopathologie de l'adulte (Manus, 1987).

Ce qui jusqu'ici a marqué la vie adulte par rapport aux autres âges de la vie, c'est qu'elle a toujours représenté pour une culture donnée une image composite mais relativement cohérente d'un idéal auquel on aspire, image faite de croissance achevée, de développement à son apogée, d'équilibre subtil entre des tendances contraires, en un mot de maturité. Si nous reprenons ces différents traits en leur donnant une formalisation appropriée, nous dirons qu'être adulte au sens commun du terme renvoie pour l'essentiel à trois caractéristiques convergentes :

- la maturité acquise et vécue ;
- la normalité qui sert de continuelle référence ;
- le modèle idéalisé auquel s'identifient jeunes et vieux sur un mode anticipateur pour les premiers, nostalgique pour les seconds.

Ainsi sommes-nous là en présence de critères fondateurs du concept d'adulte qui amènent tous les jeux d'assimilation possibles, l'assimilation par exemple de l'adulte à la personne mature, voire idéalisée, son assimilation au modèle comportemental à diffuser et à valoriser. Ces jeux d'assimilation ne sauraient empêcher des contours flottants.

III. – Montée de la société adultocentrique

L'avènement de la formation permanente et sa généralisation vont donner au concept d'adulte une large et inespérée diffusion ; cette formation permanente nous aide à découvrir que les apprentissages tirant leur spécificité de l'âge et de l'expérience se distinguent radicalement des apprentissages enfantins ou adolescents de la formation initiale ou scolaire justement réservée aux jeunes démunis d'expérience. Ce sont donc les travaux autour des théories de la formation qui vont introduire la problématique des catégories d'âge avec ce recours à une différenciation plus ou moins prononcée du jeune et de l'adulte. L'adulte à former selon une méthodologie appropriée va devenir l'une des préoccupations sociales majeures de ces deux dernières décennies[1].

En lien avec la formation permanente se sont développées, ces dernières décennies, les histoires de vie, les autobiographies, les pratiques de récits de vie pour aider l'adulte à se réapproprier son capital d'expériences. Ces pratiques qui constituent autant de fragments de vies adultes renvoient à un lointain héritage jalonné par les Confessions, les Mémoires, les Autobiographies.

Au-delà de la formation permanente, de nouvelles sollicitations vont se faire jour dans les années 1980 autour de l'emploi et constituer une autre façon de prendre au sérieux le statut de l'adulte actif et de ses capacités plus ou moins problématiques d'insertion ; les mesures variées et impressionnantes mises en place pour que cet adulte puisse arriver à un diagnostic de ses acquis et compétences montrent bien où se situe aujourd'hui le problème : cet adulte en quelque sorte, en surnombre dans une société active, on ne sait plus finalement quoi en faire, contrairement au jeune qui trouve refuge à l'école et au vieillard dont le statut est justement de ne rien faire.

Sur un tout autre versant, celui de la psychologie scientifique, il est intéressant de constater que l'adulte sera très peu présent jusqu'à une période très récente, même dans les traités de Psychologie du développement ; une sorte de division du travail semble à ce sujet s'être secrètement instaurée entre psychologues et sociologues jusqu'à ces dernières décennies ; les psychologues semblent s'être réservé le développement de l'enfant jusqu'à l'adolescence, le développement adulte à travers la nature des relations interpersonnelles et les dynamiques familiales par exemple étant davantage pris en charge par les sociologues (Goldhaber, 1986).

1. Ces décennies de formation permanente, nous l'avons indiqué plus haut, ont été préparées par de nombreux essais antérieurs qui s'ancrent eux-mêmes dans les propos fondateurs prononcés par Condorcet devant l'Assemblée constituante de 1792 : l'éducation doit accompagner l'individu tout au long de sa vie.

Les chercheurs en psychologie ont pris l'habitude de remplacer la notion certes élastique d'adulte laissée en dehors de leur champ de préoccupations, par une autre notion encore plus élastique aux connotations métaphysiques, celle de personne. La psychologie de la personne a pendant longtemps servi de substitut à une psychologie de l'adulte (Osterrieth, 1967). Ce dernier était en effet souvent défini comme une personne dans la force de l'âge, en quelque sorte l'idéal de la personne : la grande personne à laquelle devait s'identifier l'enfant.

IV. – Au-delà des convergences apparentes, des décalages sensibles

Les différentes définitions de l'adulte faites par le psychologue, le sociologue, le juriste et le biologiste, pour prendre quelques exemples caractéristiques, sont loin de se superposer : la maturité adulte qui pour le biologiste correspond à l'acquisition des fonctions de reproduction sexuelle[1] est en sérieux décalage par anticipation au regard des majorités légales du juriste ; or ces majorités atteintes sont rarement le signe d'une maturité psychologique, qui surviendra, si les circonstances sont favorables, bien plus tard ; quoi qu'il en soit cette majorité psychologique correspond de moins en moins à la majorité sociale qui permet au jeune de devenir un adulte inséré culturellement et professionnellement donc autonome ; c'est une telle majorité sociale qui se trouve très mal menée actuellement depuis la remise en cause des mécanismes traditionnels d'insertion.

Autant dire que le concept d'adulte sous bien des aspects se donne comme un concept flou aux délimitations imprécises. Pour en mesurer l'ambiguïté mais aussi pour caler notre incertitude dans des repères indispensables,

1. En ce qui les concerne, les dictionnaires médicaux identifient la vie adulte à la séquence de vie qui sépare l'adolescence de la vieillesse.

nous situerons l'adulte au regard de deux dimensions qui le fondent, l'une temporelle, l'autre spatiale, l'âge et le genre ; nous le ferons au travers de deux questionnements qui nous viennent malgré nous spontanément à l'esprit :

- À partir de quand est-on adulte et à partir de quand cesse-t-on de l'être ?
- Parle-t-on du même adulte lorsque nous évoquons la femme adulte et l'homme adulte ?

V. – Être adulte, une question historiquement subordonnée à l'âge

Le recours au droit et à son évolution devrait nous aider à mieux cerner ce qui fait l'ambiguïté du statut d'adulte au regard de l'âge et du genre. Le juriste définit en effet l'adulte qu'il appelle majeur en opposition au mineur, à travers sa capacité à exercer un droit et à être redevable d'obligations ; cette capacité est toujours associée à une question d'âge. Lorsque l'âge minimal est acquis, la personne est dite avoir atteint sa majorité ; elle peut donc exercer ses droits ; elle est devenue aux yeux de la loi majeure et responsable. Or ce qui pose question c'est le caractère fluctuant qui entoure l'âge de cette majorité. À une époque où la durée de vie était beaucoup plus courte qu'actuellement, au XVIIIe siècle, la majorité coutumière non féodale se situait aux environs de 25 ans ; elle a été rabaissée depuis à 21 ans ; et de façon très paradoxale jusqu'en 1974, début de l'avènement de notre société postindustrielle, la majorité légale est restée fixée à 21 ans bien que bon nombre de jeunes se trouvaient déjà insérés dans la vie sociale et professionnelle, donc autonomes. Depuis 1974 la majorité légale est avancée à 18 ans accomplis, alors que socialement à partir des années 1975-1980 les jeunes de 18 ans sont de plus en plus nombreux à demeurer dépendants de leurs parents, de l'école, de la société, ne s'insérant bien souvent et dans le meilleur des cas que vers 25-30 ans. Comment dans un tel cadre, pour un jeune laissé de façon prolongée en situation de dépendance, pouvons-nous parler d'état adulte ?

Nous voyons là le caractère équivoque du déterminant de l'âge chronologique pour faire accéder à la catégorie d'adulte ; or ce déterminant est incontournable ; il souffre de peu d'exceptions. Seule sera déclarée incapable majeure, la personne qui se trouve dans l'impossibilité de veiller elle-même à ses intérêts de façon ponctuelle ou permanente, de par l'altération reconnue de ses facultés psychologiques ; il en sera de même d'une certaine façon pour la personne reconnue pour sa prodigalité, son intempérance, son oisiveté, personne qui se trouve donc susceptible de tomber dans le besoin ou de ne pas assumer ses obligations sociales. Pour la première le régime de tutelle visera à protéger cette personne dans sa dignité et ses biens ; pour la seconde une mesure de curatelle veillera à l'accompagner d'un curateur dans l'exercice de certains actes administratifs.

Hormis ces deux restrictions à devenir adulte, pas toujours faciles à mettre en place d'ailleurs, la vie adulte juridiquement parlant concerne une classe d'âge large qui s'étend de la période de la majorité acquise à l'extrême vieillesse, c'est-à-dire à la mort. Or une telle extension se trouve de nouveau ici en décalage avec la délimitation sociologique qui tend spontanément à assimiler adulte et vie active et dans un flou parfois inquiétant considère que :

- le jeune de 20-25 ans non inséré socioprofessionnellement n'est pas encore adulte ;
- le retraité de 65 ans qui s'apprête à entrer dans ce que l'on appelle désormais le troisième âge, et à plus forte raison le vieillard de 85 ans qui est installé dans le quatrième âge ne font plus partie de l'âge adulte[1].

1. Les réductions et avantages qui sont consentis à partir d'un âge avancé (carte SNCF Vermeil par exemple) tendent à symboliser le fait que l'adulte retraité est un adulte assisté donc diminué.

D'un point de vue psychologique l'âge adulte définit cette longue période de structuration de l'expérience au-delà des initiations enfantines ; c'est l'âge des réalisations qui peut englober le troisième âge avant le déclin de la vieillesse caractéristique du quatrième âge.

VI. – Être adulte, une question historiquement liée au genre

Si maintenant nous délaissons la variable âge comme indicateur susceptible de nous aider à préciser le concept d'adulte pour prendre en compte l'autre variable évoquée plus haut, la variable genre, nous voyons se prolonger les hésitations du juriste, donc les interrogations de notre culture pour traiter l'homme et la femme de façon indifférenciée comme des êtres adultes à part entière. De ce point de vue nous avons sans doute à assumer un héritage encore plus lourd de présupposés.

Chez les Grecs anciens un seul terme désignait indistinctement l'adulte et l'homme[1]. Ce terme permettait notamment en nommant l'adulte-homme de lui opposer deux non-adultes, la femme d'un côté, l'enfant de l'autre. Si la femme a progressivement intégré la société des adultes avec des aléas, voire de grands écarts selon les cultures, il n'en a pas été de même dans notre propre culture pour la femme mariée, sous-ensemble des femmes beaucoup plus vulnérabilisé. La femme mariée fut en effet pendant longtemps, jusqu'à une période très récente, considérée comme une mineure, victime en cela des ca-

1. Il s'agit du terme *anêr.* On opposait traditionnellement à l'homme-adulte *(anêr),* la femme *(gunê)* et l'enfant *(païs).* L'assimilation de l'adulte à l'homme reste tenace et encore proche de nous ; l'exemple peut en être fourni par l'*Encyclopédie du dix-neuvième siècle des sciences, des lettres et des arts* dont la 4e édition de 1877 indique que « l'adulte s'applique spécialement à l'homme parvenu à son état de croissance ; synonyme d'âge viril, l'adulte caractérise cette période de la vie qui s'étend de l'adolescence à la vieillesse et qui est désigné sous le nom de virilité, d'âge mûr ».

prices et soubresauts de l'histoire. En effet le Droit romain accordait une relative indépendance à la femme mariée. Cette indépendance va se trouver confisquée par le Droit féodal. Dans la communauté coutumière issue de la féodalité est affirmée la prédominance du mari sur son épouse en matière d'autorité parentale et de gestion des biens ; cette prédominance sera seulement atténuée *post mortem,* par quelques correctifs, notamment le douaire, droit de jouissance de la veuve sur la moitié des biens du défunt.

Après la parenthèse constituée par la Révolution de 1789 et ses idéaux (refus du régime dotal, abolition de la suprématie maritale), le Code civil de 1804 va permettre à Napoléon de poser le principe de l'incapacité générale pour la femme mariée d'exercer une profession sans l'accord de son mari. Cette incapacité juridique était l'expression assujettissante de la toute-puissance maritale et paternelle. La femme mariée durant tout le XIXe siècle et les premières décennies du XXe sera donc considérée comme une véritable mineure du point de vue civil. Certes à partir de 1907 le législateur lui reconnaît le droit de disposer librement de son salaire mais ce n'est qu'en 1938 que ce même législateur la relève de son incapacité juridique. Elle n'accède dans notre pays au droit de vote qu'à la fin de la Seconde Guerre mondiale en 1944. Hormis cette incapacité de voter qu'elle partageait avec les autres femmes, sa situation contrastait fort avec ses consœurs célibataire et concubine qui pouvaient toutes deux librement exercer une profession et gérer seules leurs revenus.

Les années 1960, apogée de notre développement industriel, vont progressivement décoloniser la femme mariée à travers la loi du 13 juillet 1965. En abolissant l'autorisation préalable du mari, requise pour que son épouse puisse exercer une activité professionnelle, cette loi consacre l'autonomie personnelle et professionnelle des époux. Seul se trouve maintenu le principe de l'administration par le mari des biens de la communauté. Ce n'est qu'en 1985, soit vingt ans plus tard par la loi du 23 décembre 1985 que va se trouver parachevé le travail déjà accompli, donnant à chacun des époux le pouvoir d'administrer les biens communs et d'en disposer. Entre-temps la loi du 4 juin 1970 avait étendu aux deux conjoints l'autorité parentale, alors que la responsabilité des enfants était auparavant dévolue au seul père.

VII. – Être adulte, une question de pouvoir

On voit donc, à l'aide de ce double recours à l'âge et au genre, que le concept d'adulte justifie tous les traitements sauf ceux de l'évidence et de la transparence. Sans doute un tel concept est-il mis à mal par la dimension du pouvoir qui le traverse en donnant à certains groupes d'adultes la possibilité d'exercer leur ascendant sur d'autres groupes voués à une dépendance.

Ainsi les classes d'âge à l'intérieur de la vie adulte évoluent constamment à partir du pouvoir différentiel qu'on attribue à chacune d'entre elles ; leurs relations restent fort dissymétriques ; s'assurer d'un pouvoir certain consiste alors à savoir aménager un subtil compromis pour paraître ni trop vieux, ni trop jeune au regard de la situation et des tâches à accomplir : les quadragénaires et quinquagénaires semblent souvent remplir dans notre actuelle structure démographique ce compromis ; mais d'autres classes d'âge peuvent tirer leur pouvoir, en dehors de toute chronologie, d'événements singuliers : avoir appartenu à la saga de la Résistance en France, être ancien élève de telle ou telle école prestigieuse, avoir effectué un long compagnonnage auprès d'une personnalité reconnue, avoir servi sous telle ou telle autorité politique...

Au-delà de l'âge, entre homme et femme le jeu de pouvoir restera lui aussi toujours inégalitaire ; sur certains points, après des siècles d'assujettissement féminin, ce jeu semble tourner actuellement au profit de la femme ; ainsi le père de famille divorcé peut-il s'en rendre compte dans sa dépendance vis-à-vis de son ancienne épouse en ce qui concerne aujourd'hui la garde des enfants qui dans la majorité des cas lui est retirée. Après avoir donné systématiquement tord à la femme lors d'un divorce, le juge désormais considère la femme-mère comme plus adulte pour la garde des enfants que l'homme-père, et ce par un renversement des préférences, au regard de la législation sur l'autorité parentale d'avant les années 1970 ! La croissance de la population active féminine liée à la féminisation de bon nombre d'activités professionnelles constitue dans notre culture de la relation et de la communication une autre expression de cette redistribution du pouvoir adulte entre les genres. Une nouvelle asymétrie se substitue à la précédente au sein des rôles masculins et féminins.

Finalement au regard de ces mécanismes de pouvoir que nous venons rapidement d'évoquer, on se positionne toujours dans son environnement comme plus ou moins adulte selon les lieux et les temps c'est-à-dire plus ou moins autonome ou digne de l'être. Tout se passe en conséquence comme si être pleinement adulte ne pouvait concrètement être le lot de tous les adultes.

VIII. – **Être adulte, une question d'histoire**

Pour nous résumer nous emprunterons momentanément à S. Whitbourne et C. Weinstock (1986) les trois indicateurs qui selon eux spécifient au mieux l'adulte :

- un certain âge chronologique ;
- des tâches développementales permettant des réalisations sociales ;
- une maturité psychologique pourvoyeuse d'un statut psychologique.

Nous ajouterons toutefois un quatrième indicateur qui est d'importance : la reconnaissance sociale du statut d'adulte et en lien avec ce statut le sentiment d'être reconnu.

C'est en recourant continuellement à ces quatre indicateurs, voire à l'un ou l'autre d'entre eux que l'adulte pourra mener de façon quasi simultanée la triple expérience qui constitue la singularité de sa position :

- celle de la croissance et du développement dans des compétences et capacités déterminées ;
- celle d'une maturité virtuelle faite d'une relative stabilité et d'un certain sentiment de maîtrise dans d'autres compétences ;
- celle du déficit voire du déclin, de la perte irréversible dans des domaines bien identifiables, appelant comme contrepoids l'aménagement d'activités de compensation.

Cette triple expérience est destinée à constituer les temporalités de la vie adulte, temporalités qui vont modaliser simultanément une mémoire et un espace de projet ; ces temporalités concernent l'individu soucieux d'accéder à une certaine historicité, c'est-à-dire à un début de conscience de son propre itinéraire existentiel par-delà l'immédiateté de son expérience vécue. Dans un tel travail de mémorisation et de projection l'histoire individuelle dans ce qui fait sa singularité cherche à rejoindre l'histoire sociale dans la perspective d'une quête de sens et de cohérence. L'accès à l'historicité par ce lien entre deux types d'histoires est l'une des énigmes qui président à la logique de la construction adulte, construction personnelle de sens à travers un présent historique singulier qui se donne toujours sur fond d'un présent historique culturel.

Chapitre II

L'EFFACEMENT DES CADRES DE RÉFÉRENCE ET LA MONTÉE DES VOLONTARISMES

À la thématique de la structure des décennies 1960 et 1970 a succédé dans les années 1980-1990 celle de l'acteur comme souci culturel dominant, et avec lui le désir de promouvoir autonomie et individualisation. Une telle mutation signifie que l'adulte est désormais seul face à lui-même, orphelin de repères et d'idéaux. Or cette mutation va se trouver accentuée par la nouvelle décennie des années 1990 ; désormais on ne parle plus seulement d'acteur sans autre précision, mais d'acteur *marginalisé précarisé* voire d'acteur *en situation d'exclusion.*

I. – De la logique productive à la logique communicative

L'actualité que nous avons discernée autour de l'adulte est largement tributaire du changement de décor culturel de la décennie 1970-1980, changement de décor qui a vu un paradigme sociétal dominant, celui de la production, se laisser supplanter par un autre, celui de la communication ; la logique industrieuse sans bien entendu disparaître s'efface devant la logique informative, telle que cette dernière se laisse décliner en un nombre indéfini de codes de différentes natures ; l'être communicationnel (Habermas, 1987) est la nouvelle donne qui s'impose à l'adulte avec les caractéristiques qui s'y trouvent liées et que nous pouvons schématiser dans les observations suivantes :

– L'obsolescence des informations véhiculées conduit à une dépréciation généralisée des signes et à un effritement du temps vécu réduit à des impressions éphémères. D'où au niveau de certains secteurs culturels cette frénésie de créativité pour lutter à tout prix contre la marche inexorable de cet éphémère, en tentant d'innover c'est-à-dire de créer du nouveau qui apparaisse momentanément comme durable.

– La démultiplication de systèmes d'informations différents voire contradictoires mène à un état de dissonance généralisée liée à l'incompatibilité de ces informations entre elles ; or l'adulte ne peut supporter cette perpétuelle dissonance trop coûteuse psychologiquement pour lui ; aussi en arrive-t-il vite à banaliser les informations reçues en leur appliquant une même règle soit d'équivalence, soit de brouillage, ce qui conduit à peu près au même résultat.

– Le relativisme communicationnel tend à laminer les textes fondateurs garants des valeurs de référence auxquelles adhérait l'adulte ; ces textes sont assimilés à des systèmes de communication parmi d'autres. Se trouve alors enclenché un mécanisme de désidéalisation de tous les systèmes de signes existants ; cette désidéalisation sera renforcée avec la désillusion apportée par les symboles idéologiques de la culture productiviste, symboles qui n'ont pas tenu leur promesse émancipatrice.

– Pourtant tout n'est pas banalisé ; il reste aujourd'hui dans les mentalités adultes des lambeaux d'idéaux et de croyances, des lambeaux de langages fondateurs, structures bien structurées qui s'entrechoquent de façon persistante avec des situations réelles ; ces dernières sont perçues et vécues comme un cinglant démenti des représentations auxquelles nous pouvons continuer d'adhérer et qui constituent notre encadrement mental dominant ; d'où à côté de la banalisation de certaines communications, d'autres communications qui introduisent une sorte de malaise, un continuel déni à gérer ; mentionnons entre autres :

- les communications autour du mythe du progrès et de la croissance face au démenti de l'évolution de nos systèmes de régulation socio-économique ;
- les communications autour des valeurs humanistes de l'égalité et de la justice face au démenti de situations d'extrême précarité en continuelle augmentation ;
- les communications autour de la croyance dans un possible emploi pour tous face à cette nécessaire réorganisation de la vie active commandée par les situations concrètes d'un travail devenu déréglementé et capricieux.

– Cette nouvelle culture de la communication sous bien des aspects apparaît comme une conquête libératrice, préparée d'ailleurs par la culture productive antérieure. En faisant de chacun des participants à la communication à la fois un acteur-émetteur et un acteur-récepteur, elle lui confère un pouvoir sans doute encore inexistant sous cette forme jusqu'à ce jour ; à l'opposé d'une certaine opacité de la culture productive elle travaille sur la transparence par la communication de tous à tous pour tout dire. Mais cette transparence apparaît vite comme une fiction, de même d'ailleurs que cette nouvelle liberté recouvrée de l'acteur. Car dans leur diversité les messages se brouillent les uns les autres et à vouloir tout dire, le pourrait-on ?, faute de décider de choisir, on ne dit plus rien. Il s'agit bien là dans la logique communicationnelle actuelle, non de transparence mais d'une dénégation de la transparence, c'est-à-dire de ce cas de figure dans lequel la transparence annoncée se retourne contre elle-même, engloutissant dans la même indifférence voire le même assujettissement la multiplicité des informations manipulées.

Dans un tel contexte les repères existentiels en deviennent donc flous, ambigus et inconsistants ; ils n'ont plus comme dans la culture productive à se heurter à la résistance des matériaux. Désormais ils se laissent flotter au gré d'un monde qui devient de plus en plus immatériel.

II. – L'avènement d'une civilisation de l'immatériel

Sans doute, ce qui est le plus déterminant pour notre propos, ce qui par ailleurs constitue une situation tout à fait inédite pour nous, c'est l'avènement d'une civilisation de l'immatériel, longuement préparée historiquement par l'artificialité technique ; cette artificialité au cours des siècles et jusqu'à ces dernières années avec des supports toujours plus miniaturisés a été capable d'initier des capacités d'action grandissantes ; l'invention de l'imprimerie, la domestication de l'électricité, l'avènement de l'électronique, l'énergie nucléaire et plus récemment la prolifération de l'informatique, de ses réseaux et de ses autoroutes en lien avec une nouvelle capacité à nous délivrer des messages virtuels constituent de façon très schématique autant d'étapes qui nous acheminent de façon exemplaire vers cette culture de l'immatériel (Goldfinger, 1994).

À travers les systèmes d'information et de communication, une telle civilisation est destinée à prendre le relais de sa devancière, la civilisation productive ; elle le fait de manière contrastée, voire oppositionnelle en confrontant l'adulte à un défi, celui de devoir chercher sa propre orientation dans un environnement dématérialisé. Ce dernier apparaîtra alors comme un code à déchiffrer pour certains, ceux qui maîtrisent les codes ; il sera perçu comme complètement abstrait pour d'autres, ceux qui sont dépourvus d'une telle maîtrise ; mais de façon indistincte pour tous les adultes peu ou fortement scolarisés, marginalisés ou intégrés, il devient désormais indispensable de développer cette capacité à pouvoir gérer l'immatériel : avant-hier l'adulte s'orientait au sein de relations primaires de la famille et du voisinage, celles de son territoire de vie ; hier il se déterminait dans le cadre de relations secondaires déjà plus édulcorées, scolaires, professionnelles et associatives notamment, celles de ses organisations d'appartenance ; aujourd'hui il accède aux relations tertiaires évanescentes et imprévisibles au sein de réseaux fluctuants et informels sans contours bien définis. C'est bien souvent par de tels réseaux que l'adulte en vient désormais à organiser l'immatériel de ses savoirs, de sa formation, l'immatériel des référentiels qu'il utilise, l'immatériel de ses acquis, de ses compétences et de son propre projet, l'immatériel aussi de sa motivation, des logiciels qu'il utilise, des circuits institutionnels par lesquels vont transiter ses demandes...

Face à cette nouvelle situation qui génère une montée croissante d'inactivités, il devient nécessaire d'élaborer une psychologie du développement des comportements immatériels ; cette psychologie par contraste aurait sans doute comme première tâche à rejoindre une psychologie concrète susceptible de donner sens à ces comportements ; cette psychologie concrète est celle des actes quotidiens, de leur explicitation, de l'engagement dans des situations à démêler, psychologie que déjà G. Politzer (1929) appelait de ses vœux voici maintenant plus de soixante ans dans un autre contexte lorsqu'il évoquait cette nécessité concrète pour la science psychologique de prendre en compte le drame humain. Cette psychologie est sans doute rendue d'autant plus indispensable aujourd'hui que sans son contrepoids, les comportements immatériels pour être maîtrisés vont donner lieu à une vaste entreprise de conditionnement à l'abstraction.

III. – Un quadruple effacement

Notre société post-industrielle de l'immatériel a donc remplacé la rigidité de l'encadrement productif de sa devancière par l'évanescence des systèmes de communication qu'elle cherche à promouvoir ; or dans cette société plus que par le passé et sans doute plus que dans d'autres cultures, l'adulte est désormais par un paradoxe de la logique communicationnelle mis dans un espace de non-communicabilité, de solitude. Dans un tel contexte, flou et incertitude deviennent les maîtres mots ; l'État-providence qui faisait suite à l'État-tutélaire s'efface, cessant de jouer son rôle protecteur ; par ailleurs les autres structures de la vie quotidienne qui fournissaient les repères par rapport auxquels l'adulte prenait ses décisions sont aujourd'hui malmenées ; ces structures plus ou moins désorganisées visent avant tout quatre instances caractéristiques de la vie adulte :

- les cadres de référence fournis par la famille métamorphosée en démariage, monoparentalité, en cohabitation plus ou moins temporaire, en fratries composites ;
- les cadres de référence structurés par les initiations scolaires premières devenus insuffisants et devant faire appel à une diversité d'instances de formation proposées qui n'assurent plus de positionnement durable ;
- les cadres de référence liés à la vie active du travail et de la profession, transformés en cadres temporaires ;
- les cadres de référence idéologico-religieux malmenés, qui expriment un déclin des idéaux plus ou moins institués, au moins sous la forme que nous leur connaissions jusqu'ici.

IV. – L'adulte girovague dans sa famille

Si la famille reste une préoccupation dominante en même temps qu'une sorte de lieu refuge pour temps de crise, elle se métamorphose sous nos yeux en différents états qui l'empêchent de jouer un rôle régulateur effectif au niveau des comportements ; la famille stable, traditionnelle ou nucléaire laisse la place à des recompositions inédites qui d'ailleurs n'ont pas toujours trouvé dans notre bagage linguistique actuellement disponible les dénominations correspondantes ; alors, usant de périphrases, on parlera de familles monoparentales, de familles unipersonnelles, de familles nucléaires traditionnelles opposées aux familles recomposées, de mères célibataires, de couples en instance de divorce, de cohabitants sous différentes variantes, de vivants plus ou moins temporairement en couple avec ou sans enfants, déjà ou pas divorcés ; les catégories démographiques reconnues traditionnellement de célibataire, marié, divorcé, veuf ou veuve sont en effet désormais insuffisantes pour cerner une réalité familiale qui sous bien de ses aspects nous échappe (Roussel, 1989).

On mesure donc ici la situation très paradoxale de l'institution familiale, source de dissonance pour l'adulte qui la fréquente ; d'un côté, comme en témoignent de récentes enquêtes (Bréchon, 2000), la famille reste l'une des grandes valeurs de référence pour toutes les classes d'âge, adultes compris ; être heureux dans sa vie de famille passe avant la satisfaction au travail ; grâce à l'attachement qu'elle favorise la famille est vécue comme un lieu de socialisation essentiel à travers le cycle de vie familial que suivent bon an mal an la plupart des individus. Ce cycle peut être décrit à partir de 7 étapes caractéristiques couvrant chez l'adulte la période qui va du jeune en voie d'insertion au futur retraité :

- expérience de fils ou de fille ;
- expérience de couple, marié ou non ;
- expérience de nouveaux parents ;
- expérience de parents ayant des enfants en voie de scolarisation ;
- expérience de parents ayant des enfants devenant de jeunes adolescents ;

– expérience de parents ayant des enfants quittant le foyer ;
– expérience de grands-parents.

Or d'un autre côté cette famille a perdu de sa consistance institutionnelle à travers notamment une crise de la natalité limitant le nombre d'enfants par foyer et une crise de la stabilité visant le couple lui-même ; ceci amène fragilisation et précarité au niveau de comportements sans cohérence apparente ; ces comportements semblent pour la plupart d'entre eux avoir ce point commun en regard des temporalités : on conteste les engagements définitifs au regard de l'allongement continuel de l'espérance de vie ; on entend s'installer délibérément dans le provisoire.

Ce décalage existentiel entre permanence des valeurs d'attachement à la famille-expérimentation au niveau comportemental de solutions provisoires constitue sans doute la principale situation paradoxale que doit assumer chacun des membres d'une même famille ; cette situation paradoxale est un exemple vivant des dissonances que nous évoquions plus haut, auxquelles l'adulte se trouve aujourd'hui confronté : dissonances entre des pratiques d'organisation familiale éclatées et une famille idéalisée. Cette dernière en effet s'avère soucieuse de se célébrer dans un culte du *désir être ensemble* tout en se sentant menacée de déstabilisation institutionnelle.

V. – **L'adulte en mal d'initiation**

Traditionnellement l'adulte dans ses différentes adaptations pouvait s'appuyer sur ses premières initiations, les initiations scolaires ; celles-ci dans la transmission de codes bien identifiables et la possibilité d'accès à la maîtrise de compétences elles-mêmes repérables gardaient une validité structurante. La diversification des savoirs, la démultiplication des logiques de formation initiale nous font maintenant douter de ce que doit être une initiation gage d'insertion ultérieure, surtout lorsque cette insertion se fait de plus en plus capricieuse ; elles nous montrent que les initiations désormais ne peuvent plus conserver pour la vie adulte un caractère durable et suffisamment organisateur des compétences acquises. D'où cette course effrénée vers le « tout-formation » pour l'adulte boulimique qui estime pouvoir trouver là dans les savoirs et savoir-faire attrapés au vol une solution à tous ses maux, au travers d'initiations à retardement ; mais en définitive une formation en cache une autre elle-même prise au piège de l'obsolescence !

Nous sommes entrés dans une crise généralisée des transmissions. La formation devient alors au-delà de l'école, dans le meilleur des cas, le moyen de faciliter des transitions au sein d'un parcours individuel adulte mais sans offrir de repères identitaires durables ; elle fournit seulement des marquages plus ou moins instantanés, grâce au groupe en formation fréquenté. Accompagnant de façon appropriée les changements individuels momentanés, elle organise rarement sur le moyen terme de nouvelles compétences et encore plus rarement de nouveaux rapports sociaux : l'autonomie croissante des systèmes de formation au regard des pratiques professionnelles en constitue un bon indicateur (Tanguy, 1986).

VI. – **L'adulte à la recherche d'un insaisissable travail**

La profession est de son côté déstructurée à un moment où l'emploi s'effrite en emploi temporaire, à durée déterminée, à mi-temps, tiers temps, saisonnier, épisodique... Les métiers ont eux-mêmes perdu ce qui faisait leur stabilité et leur caractère identitaire d'antan pour laisser la place à une réalité plus modeste et insaisissable, celle d'activités professionnelles composites ; ces activités peuvent être considérées comme des lambeaux de professions que l'on va trouver dans les tâches d'entretien, de surveillance, de conseil, d'accompagnement, dans le travail à domicile... ; parcellarisées, plus ou moins déqualifiées, elles expriment une tendance similaire à celle qui regroupe un nombre sans cesse croissant d'adultes inactifs, chômeurs ou en recherche d'emploi : la raréfaction des activités organisées au sein du travail institué.

Pour sérier les significations attachées au travail nous partirons de la trilogie sémantique emploi, profession, carrière ; celle-ci permet de définir d'un point de vue psychosociologique l'espace du travail (cf. tableau 1) ; or dans cette trilogie pour le moins les deux premières composantes sont en crise :

– *L'emploi* précise la position de l'adulte sur le marché du travail en écartant de sa comptabilité les inactifs permanents d'un point de vue statutaire ; il permet de situer cet adulte par rapport à une activité (avoir un emploi) ou à une inactivité plus ou moins temporaire (être sans emploi, à la recherche d'un emploi) ; or cet emploi se décompose et se segmente, en comparaison avec le plein temps d'autrefois, en une diversité de temps

Tableau 1. — **L'espace pluridimensionnel du travail chez l'adulte**

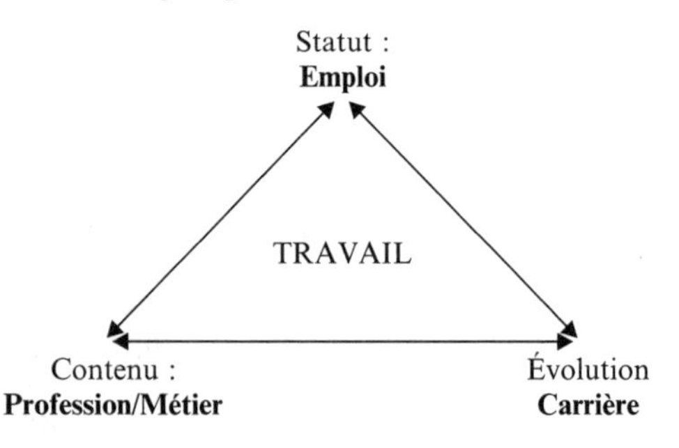

partiels, de temps à durée déterminée ou encore de temps alternés, voire chômés. Un tel emploi véhicule lui-même une image brouillée puisque parmi les actifs qu'il recense, il comptabilise les chômeurs.

– *La profession* qui spécifie le contenu du travail se transforme, abandonnant ce qui faisait sa noblesse, à savoir ses marques identitaires ; les professions techniques ou métiers se raréfient au profit des professions relationnelles souvent à dominante féminine qui connaissent elles-mêmes de par leurs transformations des durées de vie variables. Des professions disparaissent, d'autres changent de nature, d'autres enfin se créent de toutes pièces.

– *La carrière* demeure seule comme possible référence à condition que l'adulte développe une démarche offensive de mobilité au sein de l'itinéraire qu'il projette ; il ne s'agit plus pour lui d'une mobilité offerte mais d'une mobilité décidée. Cette carrière a trait à la suite des passages d'une position à une autre que la personne pourra ménager au gré des événements et circonstances. Si cette carrière aujourd'hui de par son caractère dynamique et offensif est une possibilité subjective de recomposition partielle des marques identitaires, il lui faut toutefois éviter les risques qu'elle comporte : trébucher sur des accidents de carrière parce que l'itinéraire choisi mène à une impasse ou aura été conduit de façon téméraire, ou encore parce que l'environnement se sera montré trop contraignant et frustrant.

Comme le suggère A. Gorz (1988) face à un changement de signification du travail, il devient nécessaire de dissocier l'activité adulte de la seule activité professionnelle pour s'interroger sur la nouvelle forme à lui donner qui soit susceptible de produire du sens. Le travail en tant qu'activité psychologique doit conquérir son autonomie par rapport aux formes professionnelles instituées qui jusqu'ici l'ont accaparé ; aujourd'hui ces formes se trouvent actuellement désuètes. Redonner du sens au travail c'est sans doute pour une part repenser en son sein l'articulation des trois sphères, celle d'une implication psychologique satisfaisante, celle d'une reconnaissance sociale suffisante, celle d'une rémunération économique équitable.

VII. – L'adulte face au silence des valeurs

Enfin les idéaux et les finalités à quelques exceptions près semblent tombés en discrédit ; ils n'ont plus ni la cohérence, ni la pertinence qu'ils manifestaient au sein d'idéologies de référence structurées ou d'institutions à vocation religieuse bien assises et globalisantes ; ce sont maintenant des idéaux partiels, transitoires, limités, qui semblent mobiliser. Des idéaux et finalités nous assistons à un repli sur les valeurs qui désormais deviennent de grandes préoccupations partagées.

Les valeurs d'un point de vue psychologique ne sont pas immuables ; il faudrait mieux parler à leur endroit de lente métamorphose : des images structurantes de nos idéaux se transforment, des identifications se déplacent, mais toujours en prenant appui sur des valeurs et idéaux antérieurs incarnés socialement et comportant leur propre visibilité ; cette visibilité s'étant progressivement estompée depuis spécialement une vingtaine d'années, l'individu est livré à son scepticisme et combine à sa manière, en fonction des besoins du moment des parties d'idéaux liées à la famille, au travail, à l'épanouissement personnel, au sentiment d'être libre.

Indice caractéristique de ce silence des valeurs, l'obsession bien partagée autour des pratiques d'évaluation soucieuses de produire de la valeur ; autre indice, le débat éthique en exprimant un scepticisme ambiant, cherche de façon fébrile à élaborer de possibles discours normatifs de substitution aptes à gouverner l'action, faute de s'appuyer sur des références tacitement partagées ; en attendant un consensus à venir sur ces discours, les adultes se bricolent leur petit système éthique, individuel, portatif et aménageable au gré des circonstances. Dans ce système l'interrogation sur les valeurs pour aménager le moment présent se substitue à une mobilisation autour des finalités porteuses d'avenir.

VIII. – Questionnement autour des mécanismes d'idéalisation et de leur métamorphose

Cet âge adulte que nous côtoyons n'ose plus dire son âge, tant il reste marqué par le tabou du vieillissement installé déjà par la société industrielle ; de ce fait, c'est un âge qui ne veut plus se prendre comme un modèle de référence, comme la norme sur laquelle auraient à se caler les autres âges ; la crise des idéaux est passée par là, amenant une certaine confusion sur ce que peut être l'idéal de vie quand la sphère idéologique et religieuse, la sphère familiale, la sphère des initiations, la sphère professionnelle ne constituent plus des pôles d'attirance et donc d'identification.

Cet effacement des idéalisations a plusieurs origines ; nous en évoquerons deux tout spécialement. En premier lieu notre civilisation technologique, tant dans sa version industrielle que post-industrielle n'a pas tenu ses promesses de promotion et d'émancipation, amenant de ce fait avec elle le deuil des grandes espérances entrevues. Ce deuil nous précipite dans un pessimisme d'où nous n'arrivons pas à sortir ; il génère une sorte de désillusion grosse d'attitudes dépressives, mélancoliques qui expriment cette déception de n'avoir pu se rapprocher d'un idéal aujourd'hui perçu comme une impasse. Cette désillusion peut prendre différentes expressions, le désinvestissement, le repli, l'ennui, le goût du rien, voire l'anéantissement ; elle peut aussi revêtir cette forme qui semble se répandre aujourd'hui jusque chez les personnes les plus actives d'un épuisement professionnel généré par un activisme sans fin fondé sur la fuite en avant (Freudenberger, 1987).

Seconde raison de cet effacement, l'obsolescence des valeurs et de l'éducation qui est censée les promouvoir ; cette éducation n'est plus un acquis structurant pour toute la vie ; de ce point de vue l'institutionnalisation de la formation permanente a constitué dans les années 1970 une avancée sociale significative ; et pourtant l'expansion de cette formation depuis vingt ans a cheminé de concert avec une fragilisation croissante de la vie adulte ; cette dernière découvre que rien n'est acquis, rien n'est définitif, qu'il lui faut à espaces réguliers réactualiser, retraiter une expérience par un retour en formation. Un tel retour va favoriser la prise de conscience de toutes les précarités, précarités vis-à-vis des savoirs nouveaux à acquérir mais aussi vis-à-vis des règles de fonctionnement à respecter au sein de la formation, précarités vis-à-vis des formateurs détenteurs d'une autorité source de relations dissymétriques, enfin vis-à-vis d'un groupe de pairs qui expose le stagiaire à un nouveau jeu relationnel incertain.

Parler du seul effacement serait sans doute trop réducteur à propos des idéaux adultes ; comme nous l'avons déjà évoqué plus haut, il serait nécessaire d'identifier des métamorphoses mais aussi des niches persistantes dans lesquelles continuent de se réfugier certains idéaux : la valeur sacrale du travail par exemple n'est-elle pas l'une de ces persistances qui empêche sa réforme ?

Effacement pour certains idéaux, repli pour d'autres, voici deux stratagèmes familiers des mécanismes d'idéalisation ; ces stratagèmes seraient trop restrictifs des conduites d'idéalisation s'ils ne laissaient pas la place à un troisième qui est largement observable aujourd'hui, celui de la métamorphose d'idéaux qui se transforment en gardant une certaine armature logique, mais cette dernière désormais tournée dans une autre direction pour servir une autre cause : le retour pour l'adulte à la sphère intimiste, ce fameux *cocooning* avec sa logique salvatrice n'est-il pas la réplique aux anciennes idéologies altruistes, ici un altruisme qui demeure mais en ayant subi une sorte de rétrécissement, de miniaturisation ?

IX. – Pronominalisation et montée des volontarismes

L'adulte semble donc avoir perdu ses marques, celles qui assuraient son identité composite, familiale, scolaire, professionnelle et idéologique ; sans idéaux bien identifiés il reste désormais seul face à lui-même, face à la pronominalisation du moindre de ses actes : en effet les institutions pressentent, sans pour autant la vouloir, cette solitude adulte et elles entendent l'organiser au plus près pour en contrôler les effets ; elles veulent que cet adulte ne soit plus orienté mais qu'il s'oriente lui-même ; il ne s'agit plus pour lui de projeter mais de se projeter ; il n'a plus à choisir mais à se décider : d'où cette montée des volontarismes à travers notamment le mythe du projet (Boutinet, 1990) ; dans un environnement mouvant et imprévisible, l'adulte va s'essayer à décliner les différentes formes de projet susceptibles de l'inspirer, projet d'insertion, projet professionnel ou de carrière, projet de formation, de retraite... Or bien souvent tous ces projets vont apparaître comme autant de sursauts volontaires éphémères, faute de bénéficier d'un environnement porteur ; et de ce fait ils se dégonfleront à l'occasion de nouvelles illusions déçues.

Chapitre III

DU FOSSÉ DES GÉNÉRATIONS AU BROUILLAGE DES CLASSES D'ÂGE

Les relations intergénérationnelles auxquelles participe l'adulte des années 1990 n'ont plus grand-chose de commun avec ces mêmes relations des années 1970, encore moins avec celles des générations antérieures. Certes les relations entre classes d'âge ne sont jamais entièrement sereines ; elles se déroulent toujours sur fond de tension mais avec une forte régulation sociale soucieuse de ménager la possibilité d'intégration des différents âges. Les années 1970 ont eu cette particularité historique de voir s'effacer la régulation sociale pour laisser se manifester au grand jour les antagonismes entre jeunes et adultes. Une génération plus tard les antagonismes ont disparu ; l'atténuation progressive des particularités attachées à chaque classe d'âge peut expliquer ce changement de décor.

I. – L'âge, objet d'un double traitement

Toute société organise l'intégration de ses membres autour d'une double temporalité, l'une diachronique à travers la filiation, le lignage, l'autre synchronique par la classe d'âge :

– la temporalité diachronique se définit dans sa verticalité et se manifeste au sein d'un groupe familial plus ou moins étendu comme d'un mouvement associatif, d'une organisation professionnelle, d'une entreprise ;

cette temporalité fait coexister dans un même ensemble les aînés ou plus anciens avec les plus jeunes voire très jeunes, les seconds étant subordonnés aux premiers en termes de respect, d'expérience, de déférence, d'autorité, en un mot de séniorité ; dans ce contexte toute surreprésentation d'un groupe d'âge par rapport à un autre sera considérée au niveau de l'ensemble familial, professionnel, clanique comme source de déséquilibre ; et c'est par cette temporalité diachronique favorisant des relations vécues entre groupes de sensibilités différentes au niveau âge que se transmet l'héritage culturel et se manifestent certains liens hiérarchiques ;

– la temporalité synchronique, momentanée valorise l'horizontalité au sein d'un groupe de compagnons ayant vécu ou amenés à vivre les mêmes événements, confrontés aux mêmes problèmes du moment ; c'est du fait de leur contemporanéité que ces compagnons développent des mécanismes de solidarité ; une telle intégration horizontale est traditionnellement organisée autour de classes d'âge qui se voient attribuer une certaine place et une certaine fonction, c'est-à-dire une signification dans l'ensemble social. Cette intégration horizontale révèle toute sa complexité dans les sociétés traditionnelles non scolarisées. La scolarisation de nos sociétés industrielles a quelque peu bousculé un ordonnancement minutieux. Sans disparaître complètement nos classes d'âge présentent dans leurs découpages et leurs propriétés une certaine approximation ; cette approximation est liée à une homogénéisation croissante des modes de vie.

L'articulation de ces deux temporalités va permettre l'émergence d'une différenciation générationnelle à travers un double mouvement référence/opposition ; la référence prédomine dans l'intégration verticale, garante d'une tradition à promouvoir ; l'opposition commande l'intégration horizontale, porteuse d'innovation et de changement.

Actuellement chaque classe, dont l'amplitude couvre quelques années, est marquée par des caractéristiques bien précises, d'abord une certaine forme d'éducation familiale en fonction des valeurs dominantes du moment : éducation encore traditionnelle et rigide dans les années 1950-1960, libérale et non directive dans les années 1960-1970, plus individualiste et nucléaire dans les années 1970-1980... ; cette classe d'âge est aussi tributaire du mode de scolarisation suivi qui aura été le plus usité pour une génération donnée : école jusqu'au certificat d'études primaires, voire jusqu'à 16 ans ou encore jusqu'au baccalauréat, jusqu'à l'université ; elle se définit ensuite à travers les modalités de son insertion dans la vie professionnelle adulte : insertion immédiate, insertion par étapes, insertion par alternance, différée, insertion aléatoire. Ajoutons enfin qu'une classe d'âge s'identifie aux événements sociaux auxquels à sa place il lui a été donné de participer ou d'être témoin ; dans notre contexte français de ces cinquante dernières années qui ont marqué les différentes classes d'âge adultes évoquons : l'Occupation allemande, la Résistance, la Libération, la génération *baby-boom,* la guerre d'Indochine, la guerre d'Algérie, Mai 68, la crise de l'emploi, la *bof génération,* la génération morale, la chute du Mur de Berlin, le 11 septembre 2001... Il faut dire que depuis ces vingt-cinq dernières années nous avons à notre disposition moins de marqueurs socio-événementiels, si ce n'est ceux d'une crise interminable, susceptibles de donner leur physionomie et leur organisation aux plus jeunes classes d'âge.

II. – **Classes d'âge et générations**

C'est par facilité de langage que nous avons jusqu'ici assimilé classe d'âge et classe générationnelle ; les deux ne se recouvrent pas à un niveau individuel. En toute rigueur, d'un point de vue démographique la génération renvoie à une perspective généalogique qui situe l'individu au regard de ses géniteurs et de ses descendants, alors que la classe d'âge regroupe les personnes qui occupent le même échelon, plus ou moins large, d'âge ; c'est ce qui explique que la classe d'âge vise un intervalle de quelques années et la génération un intervalle de quinze à vingt ans.

Mais à un niveau plus global, génération et classe d'âge peuvent se confondre : par exemple d'un point de vue socio-historique la génération, comme la classe d'âge, est souvent identifiée par sa coïncidence avec des phénomènes sociaux et historiques remarquables (la Résistance, la Libération, la guerre d'Algérie...), par un événement singulier, un mythe unificateur (de Gaulle, 1968...). Ceci permet le développement d'une conscience de génération, c'est-à-dire d'appartenance à une génération, qui s'impose comme une évidence.

La vie adulte est traversée par plusieurs générations mais intègre un grand nombre de classes d'âge, sans doute au moins une dizaine sur quarante ans ; ces classes perdent progressivement de leur spécificité au fur et à mesure que les adultes avancent en âge ; en se côtoyant elles se fondent les unes dans les autres mais tout en gardant leur propre sensibilité liée aux paramètres que nous venons d'évoquer (éducation familiale, mode de scolarisation, mode d'insertion, événements sociaux vécus...). Les classes d'âge adultes sont amenées à cohabiter ensemble au sein de la population active, avec sur le marché des responsabilités sociales comme celui du travail de fortes concurrences ; ces classes entretiennent par ailleurs un certain type de relations avec les classes d'âge inactives, les jeunes scolarisés, les personnes âgées retraitées. Ces différentes formes de cohabitation définissent l'espace intergénérationnel.

III. – Le modèle du fossé des générations et ses limites

Ce qui a caractérisé voici vingt-cinq ans l'apogée de la société industrielle c'est, entre autres facteurs, l'exacerbation des relations entre les différentes classes d'âge ou rapports intergénérationnels avec ce qu'il nous faut appeler à la suite de M. Mead, *Le fossé des générations* (1971) cette double fracture de l'adulte avec ses aînés et ses benjamins. La profonde incompréhension entre générations était alors celle de jeunes citadins nouvellement scolarisés jusqu'à l'âge de 18-20 ans, voire plus, tous orientés vers le futur et le changement, vers cette culture *préfigurative* décrite par M. Mead, en double opposition avec leurs aînés ; ces jeunes contestaient d'un côté leurs parents, adultes anciennement et faiblement scolarisés, soucieux de développer une culture *cofigurative* du moment présent, d'un autre côté leurs grands-parents, vieux ruraux autodidactes, encore centrés sur une culture *postfigurative* de l'héritage. Une telle cassure entre générations s'est concrétisée sous différentes latitudes par les soubresauts culturels des années 1968 ; schématiquement elle a opposé une modernité jeune et conquérante à une tradition qui se montrait défensive et frileuse, celle des aînés. Une telle opposition a certes des racines vivaces hors du champ des sociétés industrielles, si tant est que les relations entre générations s'expriment souvent en rapports de force, en conflits de pouvoir, en rivalités de classes d'âge ; mais la plupart du temps les forces sociales d'intégration que représentent les aînés parviennent à juguler les tentatives de contestation. Or ce sont ces forces d'intégration qui ont été fortement malmenées dans les sociétés industrielles de croissance de l'après-Seconde Guerre mondiale.

L'opposition que nous venons d'évoquer entre jeunes réformistes, visionnaires du temps futur et anciens traditionnels nous est si familière que nous pourrions spontanément la décliner à travers maints exemples. Et pourtant elle n'est plus d'actualité ! Dans nos sociétés post-industrielles les relations intergénérationnelles ne se laissent plus appréhender aujourd'hui en termes de fossé, de cassure, voire de rupture, mais bien par ce qu'on pourrait appeler le brouillage des classes d'âge ; ce nouveau modèle de relations intergénérationnelles est trop récent pour être ici théorisé (Boutinet, 1998) ; il semble malgré tout s'être progressivement imposé depuis une vingtaine d'années, depuis justement que nous sommes entrés dans une nouvelle ère culturelle, celle des sociétés post-industrielles. Cette ère ne permet plus de structurer les mentalités, comme le faisait sa devancière, en clivages oppositionnels, en espaces contrastés de certitudes, en croyance dans un progrès inéluctable, quel qu'en soit sa nature, nous permettant de donner consistance au vieux mythe de l'abondance ; au contraire elle se définit par l'amalgame, la confusion, le doute, l'incertitude et une certaine précarité régressive.

La confusion des âges va se trouver accentuée par le développement d'une société multigénérationnelle qui voit coexister en son sein entre 4 ou 5 générations, coexistence facilitée par l'espérance de vie qui oscille aux alentours de 80 ans. Elle sera par ailleurs renforcée par ce qu'on pourrait appeler la fluidité intergénérationnelle liée en grande partie à la déstabilisation des couples et donc à la recomposition d'alliances appartenant à des générations différentes.

IV. – De l'enfant déjà autonome à l'adulte encore infantilisé

Dans cette nouvelle culture post-industrielle l'enfant est initié très tôt aux mystères de la vie et du monde grâce notamment aux médias, ce qui faisait écrire à l'essayiste américain N. Postman (1983) voici quelques années *Il n'y a plus d'enfance !* Le temps et l'âge des secrets propres à l'enfance disparaissent dans une communication généralisée qui ne doit laisser cachée aucune information susceptible d'être transmise. Sous bien des traits l'enfant reste enfant mais confronté au spectacle du monde il est déjà adulte en partageant les préoccupations des grandes personnes. Quant à l'adolescent il entretient l'équivoque en cherchant à profiter le plus longtemps possible de l'ambiance protectrice de la famille et de l'école tout en se dotant des modes de vie adultes.

Mais l'adulte lui-même, jusqu'ici fier de son autonomie redécouvre des situations de précarité et de dépendance lorsqu'il va en formation, lorsqu'il perd son emploi, lorsqu'il expérimente des situations de crise personnelle dans ses choix de vie. C'est donc au prix d'un adulte éprouvant dans bon nombre de ses situations existentielles l'impression de revenir de temps à autre en enfance, voire de ne l'avoir jamais totalement quittée, que l'enfant se sent déjà adulte dans sa capacité à manipuler les codes et les signes communicationnels pour percer quelque peu le mystère du monde qui l'entoure.

Expression tout à fait caractéristique de ce brouillage des classes d'âge, dans lequel on ne sait plus très bien qui est qui, la formation permanente. Cette dernière instituée depuis une trentaine d'années oblige un nombre croissant d'adultes à revenir en quelque sorte sur les bancs de l'école pour parfaire, voire refaire, réorienter des connaissances devenues obsolètes. L'adulte redécouvre qu'il doit à intervalles réguliers et à l'instar de ses propres enfants revivre une situation de dépendance pédagogique pour réactualiser ses compétences ou en acquérir de nouvelles s'il ne veut pas se laisser marginaliser. Ainsi la formation permanente pourra être dans le meilleur des cas un adjuvant pour aider l'adulte à gérer son itinéraire de vie, dans le pire une nouvelle forme de dépendance vis-à-vis de la société pédagogique.

Nous assistons donc à un double mouvement traduisant bien ce brouillage généralisé des classes d'âge, caractéristique de ces débuts de société post-industrielle : nous constatons en effet simultanément deux tendances apparemment contradictoires. D'un côté nous avons une libération précoce de la situation enfantine et adolescente vis-à-vis des interdits d'une éducation rigide ; l'abaissement que nous avons déjà signalé de la majorité civique dans notre pays voici deux décennies peut relever de cette tendance. D'un autre côté nous observons une infantilisation de la vie adulte laissée seule face à elle-même et aux dépendances qui la menace : sentiment d'inutilité de l'adulte sans travail, sentiment d'ignorance de l'adulte en formation, sentiment de vulnérabilité de l'adulte fréquentant un dispositif d'insertion socioprofessionnelle ou de travail intérimaire...

V. – La montée généralisée des inactivités

Ainsi la maturité incarnée hier par la vie adulte a déserté aujourd'hui les différents âges de la vie, tous menacés virtuellement d'assistanat. Désormais nous sommes chacun mis à la même enseigne d'un environnement et d'un horizon incertains : une incertitude, nous l'avons vu, liée pour une large part à l'effacement de nos cadres de référence ; l'adulte *de jure* autonome sent sa légitimité amputée par une double dépendance, celle d'un âge rogné aux deux bouts, d'une part par une jeunesse interminable (Anatrella, 1990), de l'autre par une retraite anticipée (Gaullier, 1988). Face à cette montée des inactivités, l'adulte actif devient chaque jour davantage un impossible idéal et de moins en moins une réalité accessible.

C'est sans doute là le principal changement auquel nous assistons par rapport aux générations précédentes toutes accaparées par une besogne ; notre génération est menacée d'inactivité jusque dans sa sphère la plus active, la vie adulte ; des systèmes de camouflage sont mis en place pour diminuer la visibilité de cette inactivité chronique, notamment la formation qui est devenue le bien commun de toutes les classes d'âge (aînés, adultes, jeunes).

La crise de l'activité qui prend de plein fouet la société adulte est sans doute ce qui place l'individu tout environné de confort technique mais de moins en moins protégé socialement, seul face à sa détresse et à sa solitude ; une telle situation qui associe dans le même temps confort croissant et vulnérabilité grandissante est génératrice d'un sentiment d'absurdité, voire même de nausée : l'écart sans cesse plus important entre deux situations existentielles contrastées ne peut plus être géré sur le mode de la dissonance ; il introduit désormais une fracture dans nos modes de penser la postmodernité.

VI. – **Des coordonnées temporelles bousculées annonciatrices d'une dépréciation de l'avenir**

Le brouillage que nous venons de décrire peut être saisi au niveau des repères temporels qui dans les sociétés antérieures à la nôtre manifestaient une certaine stabilité : schématiquement la jeunesse était tournée vers un avenir idéalisé, l'âge adulte vers les contraintes à gérer du moment présent et la vieillesse en direction d'un passé à faire revivre. De tels repères sont en partie bousculés ; le cri de détresse de certains groupes de jeunes voici déjà une vingtaine d'années n'a-t-il pas été *No future !* Inversement les personnes en retraite à travers, si elles le désirent, leur fréquentation d'une université du troisième âge, leur investissement dans une association, leur goût des grands voyages, leur frénésie de petits projets à réaliser ne vont-elles pas donner l'impression de vivre une nouvelle jeunesse en rupture avec leur propre passé ! Dans cette perspective le présent voire même un futur immédiat apparaîtront comme la marque significative de leur temporalité. Quant aux adultes de par les références obligées qu'ils font à leurs perspectives d'orientation ou de réorientation, n'expriment-ils pas un volontarisme suspect dans leur souci de faire advenir un futur à un moment où le présent précarisé semble se dérober sous leurs pieds ?

Face à une telle cacophonie qui occulte ou déplace les repères temporels traditionnels, l'adulte, et ce sans doute de plus en plus, est désormais seul livré à lui-même, livré à l'aménagement contraint de ses séquences de vie, avec ses crises, ses avancées, ses retours en arrière, ses réussites, ses moments de désillusion, ses échecs. De ce point de vue le brouillage des classes d'âge se déroule sur fond d'individualisation croissante de nos modes de vie.

Ce brouillage des âges entraîne avec lui une désaffection vis-à-vis des perspectives temporelles liées à une anticipation et un futur porteurs de sens ; il est à craindre à ce sujet que le recours incessant au projet ne soit que la dénégation d'un futur que l'on dit espérer mais que l'on redoute, c'est-à-dire une sorte de camouflage de cette hantise liée au futur ; ce futur à la rigueur on tente de se le bricoler pour soi mais on le pressent obscur pour la collectivité ; la ruine du paradigme du progrès à ce sujet débouche sur une perception très incertaine des temps à venir.

VII. – Quels rites de passage ménager ?

Dans un tel contexte comment peut s'opérer le passage d'un âge à l'autre de l'existence ? Puisque le temps individuel est dissocié du temps social les rites de passage, tels qu'ils définissent la condition humaine et furent décrits par A. Van Gennep (1909) à travers les trois moments de séparation, marginalisation, réintégration vont s'en trouver malmenés, voire désorganisés. Jusqu'à une période récente ces rites recherchaient une conciliation dialectique du psychologique et du social par le biais du symbolique[1]. Or cette conciliation entre ces deux temporalités psychologique et sociale va s'en trouver fortement atténuée voire supprimée ; le rite de passage dans son fonctionnement paradoxal de séparation et d'union disparaît, laissant la place à une indifférenciation ; effectivement quel passage peut-on identifier aujourd'hui entre l'adolescent et le jeune adulte ? Tout se fait individuellement sans marquage social ; il y a même actuellement des passages qui vont se trouver bloqués quand le jeune parvient à 25-30 ans sans pouvoir justifier d'aucune activité autonome, pourtant seule condition pour lui d'accéder au statut d'adulte. Au-delà du jeune adulte, les rites professionnels en cours de carrière semblent bien être, eux aussi, tombés en désuétude pour ne réapparaître le cas échéant que lors d'une promotion, d'une distinction, du départ à la retraite, c'est-à-dire de l'envol vers l'inactivité instituée.

Si les rites de passage, jusqu'ici socialement organisés, s'effacent voire disparaissent, par quoi vont-ils être remplacés ? Comme l'a très bien montré G. Sheehy (1974) voici déjà quelques années, à ces passages organisés socialement tendent à se substituer des passages existentiels faiblement socialisés qui prennent souvent la forme de transitions le cas échéant accompagnées de crises ; ces transitions et crises individualisées sur fond d'environnement social perturbateur entretiennent désormais un lien plus ou moins lâche avec les changements d'âge.

1. Nous reprenons ici les formulations suggestives utilisées par J. Pouillon dans « Une petite différence », en clôture à l'ouvrage de B. Bettelheim, *Les blessures symboliques, essai d'interprétation des rites d'initiation,* Paris, Gallimard, 1971.

Chapitre IV

ÉTAPES, CRISES, TRANSITIONS, APPROCHE DYNAMIQUE DE LA VIE ADULTE

Parler de vie adulte à travers ses séquences, ses crises, ses ruptures, ses transitions c'est évoquer ce cours de la vie très bien exprimé par les traditions du Romantisme allemand et de l'Analyse existentielle à travers le terme de *Lebensweg* que le psychiatre L. Binswanger (1947) appréhende sous une double forme :

- les fonctions vitales qui vont assurer l'histoire extérieure de la vie, la trame des événements qui constitueront une existence et organiseront un curriculum ;
- l'histoire intérieure de la vie, histoire inobservable faite des différents retentissements que les événements donnés à vivre vont produire sur la propre subjectivité de l'individu ; c'est le mode de retentissement de ces événements qui va peu à peu pour cet individu structurer sa propre sensibilité.

Sans doute plus qu'auparavant, l'individualisation des comportements associée au phénomène de déstabilisation engendré par la crise de notre société amène à penser la vie adulte en termes de *Lebensweg* ; dans une perspective dynamique et évolutive il s'agira alors de chercher à comprendre comment l'adulte se soucie d'aménager pour lui ses séquences de vie, comment il pense ses choix en termes d'itinéraires à construire, comment enfin se conjugue pour lui l'interaction entre les événements survenus avec leurs effets de contexte et sa propre histoire personnelle. Mais nous devrons nous demander si une telle perspective est suffisante pour permettre à l'adulte d'exister pleinement dans sa culture au travers de cette permanente mobilité exigée.

I. – Les paradoxes de la mobilité

Dans leurs itinéraires de vie, bon nombre d'adultes aujourd'hui entretiennent une relation ambivalente avec la mobilité ; ils ont appris souvent à leurs dépens à se soucier moins d'une place à conquérir et à préserver que d'un itinéraire de carrière à construire, itinéraire qui reste toujours à revisiter ; cette mobilité qu'il leur faut aménager pour se mettre dans la perspective d'un cheminement, ils la redoutent et en même temps ils la souhaitent.

D'un côté notre environnement sociotechnique, dans ses aspects coercitifs et rigides liés à la tutelle des délais, des coûts et de la qualité mais aussi ses aspects fuyants et évolutifs, pousse les individus à l'innovation, au changement, au renouvellement continuel ; car les choix ne peuvent plus supporter une permanence dans le temps ; ils sont constamment révisables et réactualisables : la mère de famille souhaite retravailler dès que ses enfants sont scolarisés ; le cadre veut changer d'emploi tous les cinq ans pour éviter la routine et l'ennui ; l'enseignant, l'infirmière, le travailleur social en ce qui les concernent aspirent à un changement de poste, voire à une activité professionnelle différente. Le besoin existentiel de changement va se traduire par des comportements-limites à l'issue d'une séquence de vie : comportements de désengagement, de désidentification vis-à-vis des références actuelles, de désenchantement, de désorientation, exigeant de penser une transition (Bridges, 1980).

D'un autre côté dans une situation de crise relative à la gestion des emplois et de leurs flux, notre environnement rend plus difficile cette mobilité qu'il exige. Les changements de poste, les reconversions professionnelles dans un marché du travail déprimé demeurent souvent problématiques ; aussi bon nombre de secteurs professionnels se caractérisent par une non-mobilité, débouchant parfois d'ailleurs sur une mobilité radicale et non voulue, mobilité forcée en cas de disparition pure et simple de l'outil de travail ou de mutation du secteur économique concerné.

L'adulte vit donc les ambivalences de la mobilité : mobilité désirée face à une organisation du travail dont le caractère répétitif apparaît de plus en plus comme insupportable, notamment pour des adultes bien scolarisés ; mobilité crainte d'un outil de travail susceptible d'être remis en cause de par les contraintes économiques de plus en plus fortes ; mobilité subjective en opposition à une non-mobilité objective ; ces différentes figures de mobilités entrent en contradiction les unes avec les autres ; aussi faute de perspective de changement espéré, les adultes auront à se créer par eux-mêmes, à l'aide des stratégies volontaristes, leurs propres zones d'incertitude qui pourront déboucher sur un itinéraire possible de changement passager parfois plus ou moins artificiel ; pour ce faire ils s' aideront de la formation et des mesures incitatives qui lui sont liées : bilan individuel de compétences, congé individuel de formation, crédit de formation individualisé...

II. – Mobilité, cycles de vie et stades

Les caprices de la mobilité tant objective que subjective et leurs répercussions sur la vie adulte provoquent sans doute plus que par le passé des périodes de développement chaotique d'une expérience : ces périodes vont prendre la forme d'une crise liée à la montée d'insatisfactions dès qu'une séquence de vie dure trop longtemps, de moments critiques, de choix déstabilisants, de reconversions plus ou moins forcées, de recherche de transitions pour se lancer dans une nouvelle expérience à moins de sombrer dans l'inactivité. De telles manifestations ont été théorisées depuis plusieurs années par différents chercheurs nord-américains (Erikson, Levinson, Gould notamment), mais aussi européens (Bühler, Kaës, Tap). Elles ont été ramenées à des régularités qui prennent la forme de phases presque obligées par lesquelles, durant sa vie, l'adulte serait susceptible de passer : ce sont des phases d'expansion, d'apogée et de repli dénommées notamment à la suite de Levinson *life-cycles* ; ces cycles de vie sont marqués par une triple temporalité, individuelle, historique et sociale à travers les principales phases suivantes :

- phase d'insertion socioprofessionnelle ou d'entrée dans le monde adulte ;
- phase d'ajustements autour de la trentaine ;
- phase de remise en question majeure du mitan de la vie ;
- phase d'un nouveau redéploiement ;
- phase de l'acmé, anciennement appelée force de l'âge ;
- phase d'entrée dans le troisième âge ;
- phase d'intégrité, de sagesse ou de détérioration plus ou moins brusque.

Or compte tenu de la perte d'automaticité et d'uniformité des étapes de notre vie adulte, ceci doit nous amener à infléchir singulièrement sans pour autant l'invalider la notion de cycle de vie chez l'adulte, telle qu'elle fut développée depuis C. Jung, C. Bühler jusqu'à D. Levinson. À une telle notion qui fait la part trop belle à la régularité rythmique, il vaudrait mieux substituer celle de séquences au caractère plus ou moins imprévisible. Certes il y a bien dans la vie adulte un aspect cyclique mais à condition que l'on reconnaisse à des itinéraires expérientiels par définition singuliers et face à un environnement social de plus en plus chaotique, un caractère délibérément idyosincrasique bousculant les séquences cycliques.

Une perspective critique sur la notion de cycle dans la vie adulte s'avère d'autant plus nécessaire que nous pourrions être enclins à effectuer un simple transfert sémantique de la notion de stade de la psychologie de l'enfant et de l'adolescent à la notion de cycle de la psychologie de l'adulte. Le mouvement inverse nous semble plus opportun à faire dans la mesure où la psychologie de la vie adulte peut nous aider à pratiquer une lecture moins mécaniste de la psychologie de l'enfant ; ceci implique une refondation du concept de stade dans une perspective multidimensionnelle comprenant pour le moins outre le paramètre maturationnel, les paramètres contextuel, existentiel et expérientiel. Partant de là on reconnaîtra au phénomène de stade enfantin comme au phénomène de cycle adulte, tout en laissant à chacun sa spécificité, son caractère d'abord qualitatif c'est-à-dire individualisant ; une lecture plus quantitative et déterministe du stade, en dépendance d'une chronologie liée à l'âge est donc à relativiser au regard d'une autre lecture complémentaire, plus qualitative du stade ; ce dernier conçu dans sa relative imprévisibilité conduit aussi bien à une involution qu'à une évolution (Erikson, 1978). Il exprime au niveau de la vie adulte une période sensible qui n'a qu'une correspondance imparfaite avec l'âge chronologique : par exemple on ne peut rattacher la période de création chez un individu à une tranche d'âge déterminée de sa vie adulte ; cette période sensible pourra évoluer selon les individus et les circonstances ; en revanche il est sûr que le jeune adulte ne créera pas de la même façon que l'adulte accompli et E. Jacques[1] souligne opportunément à ce sujet que l'on peut opposer deux formes de créativité, la créativité hâtive du jeune adulte, la créativité sculptée de la maturité.

1. Cf. E. Jacques, Mort et crise du milieu de la vie, *in* R. Kaës, *Crise, rupture et dépassement,* Paris, Dunod, 1979.

III. – Crises et transitions

C'est dire que la maturité ne saurait être un acquis pour l'adulte, aujourd'hui encore moins qu'hier ; c'est un construit, un processus marqué par l'instabilité. Orphelin d'une maturité possédée qui désormais lui échappe, l'adulte contre mauvaise fortune doit faire bon cœur, justement en se confrontant plutôt à une maturité par défaut, maturité absente mais maturité visée parce que gage d'autonomie et de réalisation de soi à travers les crises qu'il lui est donné d'affronter ; c'est une maturité qui pourra être entrevue à de courts instants de décisions prises opportunément, pour aussitôt s'évanouir à l'approche de nouvelles situations de dépendance annonciatrices de nouvelles crises : maturité perçue dans le momentané dans la meilleure des hypothèses mais jamais maturité durable, car destinée à être remise en cause à la faveur du moindre imprévu.

Parler de crise c'est indiquer que le temps vécu n'est pas linéaire ; il ne se développe pas sur un continuum monotone ; il s'agit plutôt d'une temporalité en spirale avec, pour reprendre les propos de D. Riverin-Simard (1984) des moments de structuration de l'expérience, des moments de déstabilisation, des moments de rupture impliquant à leur suite des prises de décision opportunes[1], enfin des moments de recomposition ; la recomposition obtenue dans son équilibre précaire intégrera ou non l'expérience de la crise et ses effets ; à ce sujet deux cas peuvent schématiquement se présenter :

- dans le premier cas il y a intégration de la crise ; la recomposition va alors s'opérer sur un mode plus complexe ; ce mode assurera à l'adulte une autonomie renouvelée parce que devenue plus subtile en prenant en compte les aléas du trajet réalisé jusqu'ici ;

1. C'est en ce sens qu'il faut envisager la signification du terme de crise, en faisant parler pleinement son origine grecque *crisis* : décision opportune à prendre suite à une période de turbulence.

– dans le second cas, sur lequel les tenants des théories anglo-saxonnes du développement vocationnel insistent trop peu, la recomposition se fera sur un mode simplifié, au moindre coût de l'économie psychique, autour de l'une ou l'autre dépendance que la crise n'aura pas su juguler mais au contraire contribué à installer ; c'est ainsi que l'adulte se recomposera autour d'une débine, celle de l'alcoolisme en lien avec un événement contrariant, de l'oisiveté par suite de chômage, de l'isolement ou de la débauche après une séparation conjugale ou autre situation problématique ; certes un équilibre va toujours se refaire mais à un niveau de précarité plus grand que le niveau délaissé.

Le phénomène de crise exprime une incertitude existentielle sans pour autant prendre forcément la dimension dramatique que lui confère l'acception triviale actuelle du terme ; ce phénomène relève soit de causes externes (présence d'une situation conflictuelle), soit de causes internes (défaillance dans les mécanismes de régulation) comme l'a bien mis en évidence R. Kaës (1979). Il doit toutefois être intégré dans un processus plus large, celui de transition. Le concept de transition que nous empruntons pour une part à Winnicott (1971) est intéressant dans sa dimension spatiale évoquant cette obligation dans laquelle se trouve l'adulte en société post-industrielle d'avoir à se construire un trajet, un itinéraire fait d'étapes pour aller continuellement d'un lieu à un autre. La transition est donc cette aire intermédiaire d'expériences, grosse d'instabilité et de tâtonnement, que nous pouvons situer entre les deux phases qui encadrent la crise, la phase antérieure de structuration, la phase ultérieure de résolution. Cet espace transitionnel repris par R. Kaës dans la perspective d'une théorisation des crises adultes pour signifier une zone intermédiaire d'expérience conçue comme capacité pour l'adulte à inventer un espace potentiel, nous devons toutefois lui donner à côté de son sens spatial une extension temporelle et parler avec A. Green de temps transitionnel ; dans ce cas nous dirons qu'il s'agit d'un processus de passage, tributaire pour une part de la tranche d'âge adulte en question ; ce processus plus ou moins étalé dans le temps vise à aménager une expérience de rupture sur un continuum en vue de constituer un changement fait de présence/absence qui dépend dans sa réalisation de certaines conditions.

Avec R. Houde (1986) nous identifierons quatre paramètres à toute transition :

- son moment : chez le jeune adulte en début de carrière professionnelle, au mitan de la vie, à l'approche du désengagement de la retraite... ;
- sa zone : au niveau du travail, du style de vie, des relations d'intimité, de la famille, de l'image de soi... ;
- sa durée et son rythme ;
- les moyens utilisés pour gérer la transition.

Dans la transition se joue en condensé les trois expériences fondatrices de toute existence humaine, telles que ces expériences ont été rapportées par J. Bowlby[1] : *l'attachement* que la crise va transformer en détachement, *la séparation, la perte.* Une transition en effet implique un deuil à vivre qui l'assimile à une expérience de la liminalité : un seuil est à franchir, une initiation est en train de s'opérer qui fait renoncer à un certain état antérieur pour permettre l'accession à un nouveau statut psychologique par un passage à aménager vers de nouveaux attachements si possible moins défensifs. Néanmoins, contrairement à ce qu'affirme R. Houde, toute transition ne se résout pas toujours de façon positive par une sorte d'automatisme ; certes il peut y avoir une plus grande individuation, une actualisation des virtualités ; mais

1. Cf. en trad. franç. *Attachement, séparation, perte,* Paris, PUF, 1978.

lorsque la crise ne pourra trouver d'issue satisfaisante, elle donnera lieu à régression vers un état archaïque du moi.

IV. – Transitions anticipées, transitions imposées

À partir de ce que nous venons d'évoquer à propos des crises et transitions, une variable essentielle est à prendre en compte au regard du contexte dans lequel évolue l'individu : celle qui concerne le caractère préparé ou non de la transition (Scholosseberg, 1984) ; cette variable est visualisée dans le tableau ci-après (tableau 2).

Tableau 2. — **Les figures de la transition adulte**

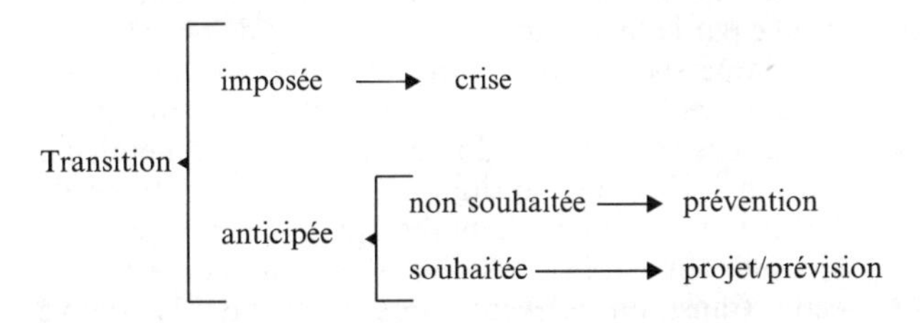

La transition imposée c'est-à-dire non anticipée surprend l'individu ; elle s'apparente plus directement à la crise à travers l'irruption d'un imprévu dérangeant avec lequel il va falloir composer pour trouver une issue opportune. Une telle transition par le scénario catastrophe qu'elle implique va laisser l'individu dans une position vulnérable ; or trouver pour lui une issue à la crise c'est d'abord se donner des nouveaux repères. Si la transition échoue faute d'issue possible, l'adulte se verra condamné à une situation d'attente, de transit plus ou moins prolongé, dans une sorte de non-lieu, avant sans doute d'être renvoyé à un statut plus précaire.

La transition anticipée de par son aspect d'attente qu'elle développe ne saurait surprendre l'individu qui a inventorié des ripostes possibles ; dans cette sorte de transition que nous pourrions qualifier de volontariste, il y a peu d'effet-crise. On distinguera à ce sujet deux sortes de transitions anticipées :

- une transition anticipée non souhaitée mais acceptée ; l'anticipation emprunte alors à la figure anticipatrice de la prévention pour écarter un événement jugé indésirable ; mais si cette prévention a échoué, elle implique de la part de l'individu des stratégies alternatives pour conjurer l'indésirable ;
- une transition anticipée désirée, le cas échéant préparée ; nous sommes ici dans la figure anticipatrice du projet qui cherche par différents moyens à faire advenir un futur désiré ; une telle transition sera alors traitée par la méthodologie de conduite de projet à travers la perspective d'un futur identifié et l'élaboration de buts en fonction des opportunités du contexte et des tâches associées à l'âge. Évoquons ici toutefois un cas particulier de transition désirée, celui entrevu de façon plus ou moins hypothétique mais peu préparé, compte tenu d'une relative improbabilité estimée ; cette transition relèvera alors plutôt de la simple prévision.

V. – **Questions autour du mitan de la vie**

Le milieu de la vie qui renvoie à des repères temporels bien souvent imaginaires va comporter un caractère quelque peu mythique avec son ambivalence propre à tout espace sacral ; le milieu de la vie c'est en effet la force de l'âge mais aussi le démon de midi ; c'est le moment approximatif à partir duquel chez l'adulte il y a déplacement de la perception du temps déjà vécu vers le temps qui reste à vivre.

Certes à travers le mythe il y a bien un sentiment

propre aux personnes qui, ayant franchi plusieurs décennies de leur vie, éprouvent alors à la fois expérience et lassitude ; ces personnes peuvent être malgré tout prêtes pour un nouveau départ en ayant l'espoir d'avoir encore plusieurs décennies devant elles. Ce sentiment évanescent dépend largement des histoires personnelles et des contextes culturels. Aussi en fournissant quelques indications sur ce mitan de la vie nous devons donc nous défier d'une approche par trop déterministe et réductrice.

Précisons tout d'abord que le mitan de la vie est beaucoup plus un mitan psychologique qu'arithmétique, systématiquement déplacé vers la seconde moitié de l'existence. On le situait au début de notre siècle aux environs de 40 ans ; avec l'allongement de l'existence on le place actuellement entre 45 et 55 ans. Les personnes qui s'estiment être au mitan de leur vie se réévaluent elles-mêmes ; elles examinent leurs réalisations et les valeurs qui les fondent, le sens que prend présentement ces dernières par rapport aux attentes initiales qu'elles avaient ; elles apprécient leurs différents parcours familiaux, professionnels, sociaux. On a plus qu'auparavant l'impression que le temps nous est désormais compté, qu'on ne pourra plus vouloir tout faire ; le mitan prendra la forme d'une crise pour les uns, d'une transition pour les autres ; c'est sans doute la période de vie la plus fructueuse au niveau de l'influence sur l'environnement social ; mais ce peut être aussi la période de prise de conscience d'une grande solitude, d'un sentiment de vulnérabilité voire de grande inefficacité.

Période sensible donc que celle du mitan de la vie, cette période sera vécue selon les adultes avec des intensités variables et à un âge fluctuant, même si elle renvoie à des caractéristiques communes : une première récapitulation de ce qui a été réalisé jusqu'ici, l'épreuve du doute, voire de l'angoisse vis-à-vis de ce qui n'a pas été fait, qui aurait pu l'être mais ne le sera plus désormais, l'évocation d'une retraite à échéance pas trop éloignée et par devers elle celle de la mort ; une telle évocation selon les circonstances se transformera en vive appréhension.

De façon contrastée la quarantaine, voire la cinquantaine, pourra constituer l'occasion d'un nouveau départ ; elle représentera la maîtrise de ses moyens, un besoin de durabilité, de stabilité, de transmission, ce qu'Erikson traduit par générativité, mais les possibilités se rétrécissent et l'horizon de la mort devient une échéance de plus en plus familière avec laquelle il va falloir compter.

Les problèmes non résolus à l'adolescence chez certains adultes pourront brusquement refaire surface, conférant à l'itinéraire de vie une impression de caractère foncièrement cyclique. Il peut y avoir par ailleurs un désir plus fort d'implication sociale ou au contraire un sentiment de déception vis-à-vis de l'environnement social fréquenté ; mais les premiers bilans opérés insistent aussi sur la satisfaction qu'apportent sous une forme ou une autre un sentiment d'autorité, d'autonomie, de maturité, l'aisance des relations interpersonnelles ; un désir se fait jour de s'assurer que notre idéal nous survivra ; et l'expérience acquise compense encore amplement les pertes physiques.

VI. – **Du développement vocationnel à la maturité vocationnelle**

Lorsque la transition et la crise peuvent trouver un point d'aboutissement satisfaisant à travers l'organisation d'un équilibre psychologique plus élaboré, il y a manifestation momentanée d'une maturité vocationnelle ; cette maturité peut se reconnaître justement à travers les indicateurs suivants : résolution de l'indécision, adaptation à de nouveaux rôles, modification des attitudes exclusives d'attraction ou de répulsion, acquisition de compétences, acceptation positive de l'incertitude ; sans être exhaustifs, ces cinq indicateurs dans leur présence témoignent de l'issue d'une crise conduisant à une plus grande autonomie personnelle. Mais nous ne parlerons pas ici de n'importe quelle maturité ; il s'agit bien d'une maturité vocationnelle, que l'adulte obtient par ses réalisations, par un engagement au contact de l'expérience, d'une expérience qui est passée par le conflit mais aussi l'exploration d'un espace de possibles.

La maturité vocationnelle, cette capacité à se réaliser soi-même à travers ce que l'on fait n'est pas une propriété que l'on conserve de façon durable ; très évanescente en fonction des circonstances, elle apparaît et disparaît ; elle devrait donc être plutôt traitée en termes d'idéal à privilégier, un idéal inaccessible auquel se référer. Au regard de cet idéal le processus de maturation ou d'actualisation des possibilités sera facilité par la durée ; en effet seule cette dernière va permettre la réalisation d'un potentiel d'expériences. C'est dire que la maturité vocationnelle comme idéal à viser s'apparente dans le meilleur des cas à une anagogie[1], cette montée lente par degrés et ruptures vers plus de liberté vis-à-vis de soi.

C'est pour assumer crises et transitions que se trouve valorisée depuis quelques années la notion de carriérologie, façon sans doute plus figurative de parler d'anagogie. La démarche carriérologique essaie d'instituer une relation dynamique de l'individu à son travail et à son évolution. Elle cherche à attirer l'attention de la personne concernée sur la suite des activités, professions, emplois, situations que cette personne doit aménager durant le cours de sa vie active ; selon les circonstances un tel aménagement se fera sous une apparente continuité dans le passage d'une séquence de vie à une autre ou en discontinuité, voire en zigzag, en allers et retours, si des crises s'interposent.

1. Le concept d'anagogie auquel recourent les philosophes et mystiques chrétiens du haut Moyen Age (Denys l'Aréopagite, Hugues de Saint-Victor notamment) renvoie à cette montée par étapes vers la perfection que permet toute expérience humaine.

VII. – Développement et vieillissement : deux logiques contraires qui cohabitent

Crises, transitions, étapes, stades sont à situer en permanence, pour les saisir dans leur signification, sur un double continuum, celui du développement *(development)* celui du vieillissement *(aging)*. Ces deux logiques sont irréductibles l'une à l'autre pour cerner la singularité de la vie adulte ; trop privilégier le développement serait de façon illusoire assimiler l'adulte à un enfant ou à un adolescent ; trop accentuer le vieillissement consisterait à transformer prématurément l'adulte en personne âgée voire en vieillard.

Ce double lieu d'apprentissage et de désapprentissage que constitue la vie adulte va se manifester à travers les adaptations quotidiennes. Les apprentissages réalisés se concrétiseront dans l'apparition avec l'âge, parfois de façon imprévue, de nouvelles capacités ou compétences : des capacités inédites aux yeux mêmes de l'adulte concerné ou des capacités identifiées qui se diversifient. L'apprentissage adulte prendra aussi la forme d'une méthodologie d'établissement et de résolution de problème à travers une créativité qui s'affirme, toujours soucieuse de réagir aux questions que posent les situations.

Mais toutes ces performances comportementales vont être obtenues à un prix de plus en plus élevé, en fonction de l'âge ; ce prix sera celui consenti aux routines et scléroses qui s'installent à un rythme plus ou moins accéléré, aux reconversions de plus en plus problématiques dans d'autres types d'activités. L'adulte continue à s'adapter mais il perd de sa souplesse d'adaptation ; dans certains secteurs de son existence, faute d'exercer une vigilance suffisante, la rigidité le gagne ; et cette rigidité prend souvent le nom de répétition, préfiguration de la sclérose généralisée que constitue toute vieillesse.

Ainsi en est-il du statut psychologique contrasté de l'adulte, toujours encore un peu enfant mais déjà vieux, pas encore vieillard mais plus tout à fait enfant.

VIII. – Retour sur l'histoire personnelle

S'il y a bien une logique qui domine l'ensemble des propos que nous venons de développer concernant les phénomènes de crises et de transition de la vie adulte, c'est bien celle d'*histoire personnelle* : logique forte ramassant en deux mots ce qui fait à la fois la singularité et l'universalité d'une expérience adulte. Cette expérience au travers de l'itinéraire qui la constitue est un échantillon toujours représentatif de la condition humaine dans l'extrême diversité de ses manifestations ; elle est pour le moins le fruit d'une pluralité d'histoires :

- *une histoire* qui sous bon nombre d'aspects rappelle les histoires similaires d'autres adultes et accepte donc le jeu des comparaisons ;
- *une histoire* qui se donne comme temporalité et mémoire intégrant de façon dynamique une pluralité d'expériences vécues ;
- *une histoire* sous-tendue à travers ses soubresauts par un vecteur qui lui donne sens : une plus grande émancipation dans certains cas, mais dans d'autres un plus fort assujettissement ;
- *une histoire,* c'est-à-dire un récit en partie lacunaire à organiser, qui cherche par le langage à reconnaître ce qui s'est passé pour mieux le comprendre ;
- *une histoire* définie par son propre inachèvement, donc son ouverture sur de nouveaux possibles ;
- *une histoire personnelle* marquée du sceau d'une certaine idiosyncrasie puisque les méandres de cette histoire manifestent une singularité certaine, dans un espace et un temps bien particularisés. Cette singularité exprime l'individuation croissante de toute histoire personnelle.

Alors la logique de cette histoire personnelle que l'on va chercher à identifier pourra momentanément se rapprocher de l'une ou l'autre des trames suivantes sans toutefois s'y laisser assimiler ; elle pourra aussi être l'intégration à sa façon de plusieurs de ces trames :

- trame de la diversification et de l'individuation dans une optique vocationnelle de réalisation de soi ;
- trame biologique de décroissance, de déclin, de repli quasi irréversible à partir d'une certaine position occupée ;
- trame de compensation de l'environnement qui atténue voire supprime les effets de régression observés chez un individu ;
- trame séquentielle concrétisée dans une suite d'étapes régulières bien identifiables ;
- trame statique caractérisée par un processus de stabilisation durable autour d'une certaine position acquise ;
- trame conquérante d'expansion vers des responsabilités croissantes au sein d'espaces sociaux variés ;
- trame transitionnelle de la *métanoia,* celle de la transformation, de la conversion à travers des expériences fortes à vivre ;
- trame éclatée en plusieurs centres d'intérêt ;
- trame visant à survaloriser les réalisations professionnelles ;
- trame de repli sur la famille ;
- trame latérale extérieure à la famille et au travail autour de l'investissement d'un lieu autre pas toujours très bien identifié ;
- trame de la mobilité permanente faite d'une suite continuelle d'insertions dans des milieux variés.

Chapitre V

LES INVARIANTS DE LA VIE ADULTE, APPROCHE STRUCTURALE ET EXPÉRIENTIELLE

L'adulte pérégrine en emportant avec lui tout au long de son itinéraire un certain sentiment de ce qu'il est, de la façon par laquelle il se perçoit. Ce sentiment selon son contenu plus intellectuel ou affectif prendra la dénomination de *concept de soi* ou d'*image de soi.* Il va subir au gré des événements des métamorphoses mais il restera tenace dans ses principaux déterminants liés aux premières années enfantines, liés à une certaine sensibilité donnée génétiquement, liés enfin aux caractéristiques des environnements fréquentés. C'est dire que l'âge adulte est fait d'un jeu de balance entre changements transitionnels et stabilité ; c'est ce jeu qui constitue le processus identitaire. Et les expériences données à vivre le sont toujours à l'intérieur d'un mode structural ; c'est sans doute là l'un des paradoxes fondateurs de la vie adulte, celui d'un face-à-face entre structure et expérience.

I. – Repères identitaires

Le concept de soi que nous privilégierons ici, parce que plus globalisant que celui d'image de soi[1], est à la

1. La conscience de soi (le *self*) prend différentes dénominations qui introduisent chacune des nuances de sens : *concept de soi, image de soi, estime de soi* ; faute pour l'instant de particulariser ces nuances, nous traiterons ces dénominations comme sensiblement équivalentes.

base de la construction de l'identité, dans la façon par laquelle l'individu se perçoit, se reconnaît, s'estime, se déteste, se fuit. Une telle identité est une construction fragile et complexe à laquelle concourent plusieurs composantes :

- un sentiment de permanence dans le temps, permanence à partir de laquelle l'adulte se reconnaît lui-même dans ce qu'il estime être sa singularité au niveau de son histoire ; ce sentiment exprime une certaine forme de continuité à travers laquelle il se saisit ;
- un sentiment de différenciation nourri de la diversité des événements vécus et des changements que ceux-ci apportent tant dans l'organisation personnelle que dans le type de relation que l'adulte entretient avec son environnement ;
- un sentiment de reconnaissance que l'on prête à autrui à propos de la façon par laquelle il nous perçoit et nous estime dans ce que l'on est pour lui, ce que l'on représente pour lui.

Permanence, différenciation, reconnaissance vont fusionner pour constituer les composantes de base interactives du sentiment identitaire, composantes à partir desquelles va pouvoir s'opérer la perception de soi par soi. Or une telle identité perçue est traversée par deux sortes de jugements, les uns portés par soi sur soi (jugements internes), les autres comparant soi à autrui (jugements externes). Cette double appréciation interne/externe correspond en grande partie à la distinction opérée par Cl. Dubar[1] qui différencie l'identité personnelle de l'identité sociale ; nous la visualisons dans le tableau à double entrée ci-dessous (cf. tableau 3).

À cette double lecture à faire du concept subjectif d'*identité perçue* nous avons ajouté dans le tableau en contraste et pour mémoire une tout autre lecture, celle

1. Cf. *La socialisation, construction des identités sociales et professionnelles,* Paris, A. Colin, 1991.

Tableau 3. – **Le concept d'identité dans ses différents aspects**

• *Identité perçue (ou vécue)*	*Interne* *Jugement absolu*	*Externe* *Jugement comparatif*
– Permanence (sexe) *Je suis comme*	Identification *J'ai toujours été*	Appartenance *Autrui*
– Différenciation (âge) *Je ne suis pas comme*	Désidentification *Ce que j'étais*	Séparation *Les autres*
– Reconnaissance *Je perçois / je suis perçu*	Image de soi *Je me perçois*	Utilité subjective *Je me sens perçu*
• *Identité octroyée*	*Reconnaissance sociale exprimée à travers le statut attribué.* Cette reconnaissance est porteuse d'attentes ; elle sera assumée par l'adulte à travers le rôle qu'il jouera en réponse à ces attentes.	

qui concerne le concept social d'identité à travers l'*identité octroyée* concrétisée dans les statuts que confère l'environnement social et qui auront une incidence sur l'identité vécue.

II. – De l'affirmation identitaire au malaise identitaire

La voie royale de l'affirmation identitaire passait jusqu'à ces dernières années par la profession et dans une moindre mesure par la famille et le type de formation suivi, auquel pouvait s'ajouter le niveau de formation atteint ; aujourd'hui le sentiment idenditaire ne trouve plus guère de support approprié : l'espace professionnel demeure encore un moyen de se reconnaître malgré tout, mais souvent par défaut.

Par rapport aux paramètres identitaires décrits ci-dessus, celui qui semble le plus mal mené aujourd'hui et qui crée un effectif malaisé, c'est certainement celui de la reconnaissance sociale[1] ; dans bon nombre de ses situations vécues surtout professionnelles, l'adulte dans la culture postmoderne éprouve de façon maladive un sentiment profond de non-reconnaissance ; face aux institutions frileuses de l'ère postindustrielle qu'il fréquente, malgré tous les discours tenus qui n'ont pas su mettre en place des politiques sociales et participatives suffisamment hardies, l'adulte ne se sent pas reconnu pour ce qu'il est, dans sa singularité. Ayant l'impression d'avoir été floué par un environnement professionnel trop utilitariste à ses yeux, il intériorise un sentiment profond d'inutilité personnelle. Ce sentiment semble habiter toutes les strates des hiérarchies mises face à la même vulnérabilité, avec l'instabilité et l'insécurité des emplois.

Ce sentiment de non-reconnaissance est largement partagé chez les personnes insérées dans des organisations industrielles, des établissements sociaux voire au sein même des services de l'État. Mais il avoisine le déficit chronique pour les personnes condamnées à l'inactivité par un chômage subit ou un chômage prolongé ; la difficulté actuelle de faire vivre de véritables associations ou mouvements de *sans emploi,* chômeurs ou demandeurs d'emploi en dit long sur ce déficit identitaire ; il signifie pour le moins que le débat sur la reconnaissance implique comme préalable une activité qui soit structurante de l'identité en favorisant le jeu permanence/différenciation.

Traversant ces mécanismes plus proprement psychologiques associés au sentiment identitaire, deux autres données existentielles qui restent invariantes tout au long de la vie adulte contribuent à spécifier l'identité : la généra-

1. Ce sentiment de mal-être dans la reconnaissance s'ancre loin historiquement dans notre modernité puisque déjà il a été magistralement souligné par Hegel au début de notre ère d'industrialisation, première moitié du XIXe siècle, à travers sa fameuse dialectique du maître et de l'esclave. De ce point de vue notre période postmoderne n'a fait que laisser le problème en l'état, en l'aggravant toutefois : l'individu postmoderne est malade de non-reconnaissance.

tion qui fait fluctuer l'âge et éprouver un sentiment de jeunesse et de progressif vieillissement et le genre, donnée de départ qui sépare et particularise de façon durable hommes et femmes. Ces deux données combinent, chacune en ce qui la concerne, un jeu subtil de permanence et de différenciation dans l'histoire personnelle de l'adulte, même si spontanément au niveau individuel on serait tenté de ranger le genre du côté de la permanence, l'âge du côté de la différenciation ; ce jeu subtil explique sans doute la raison pour laquelle âge et genre se trouvent au centre du dispositif identitaire.

III. – L'invariant de la génération

Parler d'invariant de la génération peut paraître curieux voire illogique alors que les générations évoluent, qu'elles se suivent sans se ressembler ; pourtant par une telle formulation nous voulons souligner que pour l'adulte, sa date de naissance le suit tout au long de son existence et avec elle son rattachement à une certaine sensibilité générationnelle qui ne le quittera pas ; même s'il est amené à changer chaque année, l'âge dans ses variations colle à la peau de cet adulte en le reliant à son origine, sa date de naissance ; il constitue une marque identitaire, aussi bien d'ailleurs l'âge vécu que l'âge attribué.

À partir de là peut-on se risquer comme l'ont fait certains chercheurs à découper les séquences chronologiques de la vie adulte pour associer à chaque séquence des traits psychologiques bien particuliers ? Nous ne le pensons pas, car les âges sont fortement culturalisés et ce qui est valable à une certaine époque cesse de l'être quelques décennies plus tard ; à lire d'ailleurs certaines descriptions de séquences de vie adulte telles qu'elles figurent dans les dictionnaires du XIXe siècle[1] ou certains traités de

1. Cf. entre autres productions l'*Encyclopédie du dix-neuvième siècle,* éditée en 1877 où les tranches d'âges de la vie adulte sont définies uniquement au regard de la maturité virile.

psychologie du XXe siècle, on sourit des caricatures proposées en les trouvant bien obsolètes. Par ailleurs l'âge chronologique dans une perspective développementale est une information plus utile pour prédire le comportement de l'enfant de 2 ans, de 7 ans ou de 12 ans, bien plus que pour comprendre celui de l'adulte de 28 ans, 42 ans ou 67 ans, même si ces âges sont significatifs de réalités psychologiques spécifiques.

Aujourd'hui, sans aller jusqu'à l'affirmation catégorique de B. Neugarten, *Age is irrelevant*[1], nous pouvons ancrer notre réflexion seulement par rapport aux trois grands repères temporels de la vie adulte que sont dans nos cultures technologiques, l'entrée par l'insertion, le mitan de la vie, le dégagement vers la retraite. Or de ces trois repères, le premier est devenu flou et évanescent dans notre contexte de la crise des insertions ; le jeune adulte s'insère de plus en plus tardivement et aussi de plus en plus difficilement mais en même temps il ne souhaite pas d'insertion immédiate et définitive ; ses préférences vont vers l'insertion différée voire intermittente, les possibles qui lui sont offerts par la situation. Quant au second repère, celui du mitan de la vie, il correspond à des marquages plus subjectifs qu'objectifs ; certes il gardera une consistance chez les adultes qui n'ont pas eu trop d'accidents de carrière et donc qui sont susceptibles de se livrer aux alentours de la décennie 40 ans - 50 ans au double mouvement récapitulation-anticipation ; mais chez les autres l'inconfort de leur situation existentielle passée ou actuelle occulte souvent l'analyse-bilan psychologique qu'ils peuvent faire de leur premier mitan. Sans doute seul le troisième repère garde son homogénéité, qu'il s'agisse de préretraite, de retraite anticipée ou de retraite proprement dite ; cette homogénéité renvoie chez la personne abordant son troisième âge à l'anticipation ou

1. Cf. The old and the young in Modern Societies, *American Beh. Scien.*, 14, 1970, 13-24.

non à laquelle elle va se livrer d'un nouveau temps à aménager qui n'aura plus de planification *a priori* et dont les caractéristiques à assumer sont pour le moins de trois ordres :

- une perspective d'inactivité forcée susceptible d'être reconvertie en inactivité choisie ;
- une mise à l'écart professionnelle qui peut être l'occasion soit d'un isolement social soit au contraire de nouvelles insertions dans des tissus sociaux extra-professionnels ;
- l'horizon à terme de la mort qui peut susciter désespoir et résignation ou au contraire permettre grâce à la valorisation de l'expérience passée l'entrée dans une nouvelle sagesse ; cette dernière ne se vit pas comme déni d'une fin inéluctable mais humanisation par l'adulte vieillissant de ses propres limites.

IV. – **L'invariant du genre**

Catégorie sans doute en voie d'homogénéisation dans nos cultures techniques, la population adulte n'en reste pas moins clivée en deux groupes distincts, hommes et femmes avec pour chacun de ces groupes sa propre psychologie et un sentiment finalement très fort d'appartenance identitaire : très peu de personnes semblent vouloir jouer un rôle médian d'androgyne ; la plupart au contraire entendent affirmer au mieux qui leur être femme, qui leur être homme, même si bon nombre d'entre elles restent sensibles dans certaines situations de vie bien déterminées à un idéal androgyne. Ne nous interrogeons donc pas pour savoir si dans leurs souhaits particularisés d'hommes et de femmes nous sommes là en présence d'une différence de nature ou d'une différence de culture ; reconnaissons simplement à travers une grille de lecture anthropologique qu'une différence de nature, le clivage homme/femme va être réorganisée et souvent amplifiée par la culture d'appartenance.

Certes dans nos cultures postindustrielles une assez forte homogénéisation des statuts s'est opérée ces dernières décennies ; les mouvements à revendication d'identité sexuelle ont pu y contribuer ; pourtant au-delà des apparences d'homogénéisation, les différences restent importantes, voire essentielles entre conduites féminines et conduites masculines. Ainsi au niveau familial, de récentes enquêtes le montraient encore, les rôles masculins et féminins semblent psychologiquement dans notre début de millénaire encore difficilement interchangeables en ce qui concerne les tâches concrètes comme l'entretien du ménage et le soin aux enfants ; en revanche les rôles deviennent de plus en plus indifférenciés pour l'accomplissement des tâches immatérielles : transmission des valeurs morales, gestion du budget ou des vacances, décisions à propos de la contraception, rapports affectifs et sexuels.

En abordant le niveau professionnel nous assistons à une banalisation certaine des rôles masculins et féminins, à travers leur équivalence ; cette banalisation ne doit toutefois pas nous abuser dans la mesure où elle se fait sur fond de féminisation des relations de travail, figure inverse de la masculinisation prônée par la société industrielle : si les femmes occupent des rôles professionnels de plus en plus variés, néanmoins elles investissent massivement certaines professions, les professions à dominante langagière et relationnelle au regard desquelles les hommes se laissent peu à peu exclure[1] ; par ailleurs si la part des femmes dans la population active est en continuelle augmentation depuis vingt-cinq ans, celle des hommes se trouve en stagnation, voire en régression. En résumé si les hommes ont une insertion professionnelle ouverte et

1. L'imaginaire professionnel féminin est de ce point de vue très contrasté par rapport à l'imaginaire masculin ; et ce clivage apparaît dès la fin de l'adolescence, cf. entre autres nos propres travaux sur la psychologie de l'orientation, notamment Étude des mécanismes de scolarisation à travers la représentation que les jeunes se font de leur avenir, *Psychologie française,* 27, 1982, 264-254.

variée, correspondant d'ailleurs à leur propre projet professionnel, les femmes aspirent à une insertion plus homogène, plus concentrée sur les 10 ou 15 mêmes professions, aspiration qu'elles vont concrétiser en féminisant ces professions.

Les femmes et les hommes n'ont pas la même façon de percevoir leur itinéraire adulte ; dans la diversité de ses statuts à l'intérieur et à l'extérieur de son foyer, la femme sera soucieuse de jouer un équilibre, quitte pendant certaines périodes à davantage accentuer une logique familiale et pendant d'autres périodes une logique professionnelle ; l'homme quant à lui demeure surtout quelqu'un de l'extérieur, tenant finalement des rôles moins diversifiés ; plus investi dans ses tâches professionnelles, voire ses responsabilités associatives, il a de son temps de carrière une perception très linéaire, cette linéarité pouvant l'amener à une mobilité ascendante à travers davantage de responsabilités exercées. La femme au contraire a de son temps une perception plus complexe et cyclique, envisageant d'interrompre son activité professionnelle pour la reprendre ensuite, et si elle ne souhaite pas toujours s'éterniser au sein de la même activité professionnelle, elle se satisfera d'une mobilité latérale vers un autre type d'activité. Ajoutons que l'homme garde ses préférences pour un comportement plus instrumental lié à un désir d'autonomie individuelle, de compétition, d'efficacité et de sentiment de maîtrise de son environnement, alors que la femme se situe au niveau du relationnel en valorisant l'expression langagière et l'harmonie avec les autres. On comprend donc que les femmes puissent disposer d'une position dominante dans une société communicationnelle.

Autre clivage entre les femmes et les hommes, c'est celui du vieillissement ; plus que les hommes, les femmes sont préoccupées par les transformations au cours de l'âge de leur propre corps pour lequel elles nourrissent des exigences esthétiques ; en ce sens les femmes apparaissent plus anxieuses de vieillir. Ce qui inquiète les hommes dans leur vieillissement c'est la conservation voire l'augmentation de leur estime de soi telle qu'ils peuvent la saisir dans le pouvoir social qu'on continue de leur reconnaître, dans la fonction de conseil, de mentor[1] qu'ils peuvent exercer auprès des jeunes générations ; le paraître dans le jeu social est pour eux essentiel, au moins lorsqu'ils ont les moyens de le gérer. La peur de vieillir sera alors chez eux celle de laisser sa propre place à des plus jeunes.

V. – **L'invariant des composantes de personnalité**

Même si les typologies de la personnalité n'ont plus le succès qu'elles avaient, il serait hasardeux de passer sous silence des données, certes controversées mais jamais effacées, relatives aux apports constitutionnels, ceux de la génétique qui contribue à définir des assiettes psychologiques, des tempéraments perdurant durant toute l'existence et *a fortiori* durant la vie adulte. À ces traits issus des données biologiques il faudrait ajouter ceux amenés par l'expérience à travers ses modes d'intériorisation ; des modes dominants vont se constituer susceptibles de créer d'autres traits de personnalité qui vont se superposer aux premiers.

Les traits de personnalité apparus très tôt chez l'individu en lien avec un terreau génétique ou acquis durablement à la faveur d'expériences qui se répètent vont organiser des styles plus ou moins permanents d'adaptation du type introvertis en opposition aux extravertis, dépendants du champ environnemental en opposition aux indépendants, expressifs en opposition aux instrumentaux, consistants en opposition aux inconsistants, rigides en opposition aux fluides...

1. Le mentor, dans l'état actuel de notre culture, semble être une figure qui demeure beaucoup plus masculine que féminine.

Sans tenter de faire le départage entre des modes d'être considérés comme liés à l'équipement génétique et d'autres modes acquis, indiquons que des traits de personnalité, voire des structures, le cas échéant engrammées par le caractère répétitif de certaines expériences, sont destinés à vite s'imposer et de façon durable ; ils s'imposeront par leur permanence chez l'adulte qui en héritera au niveau de ses adaptations comme de ses relations.

VI. – L'invariant du lien social : entre attachement et deuil

L'enfant noue avec son environnement parental et familial des liens d'attachement ; ces liens vont continuer de se construire et de se diversifier au cours de la vie ; en fonction des premières relations parentales, des modes d'attachement dominant vont se répéter tout au long de l'itinéraire adulte lorsqu'il s'agira de maintenir ou de créer de nouveaux liens. Ces modes qui ont pour fonction d'assurer assistance et sécurité nous renvoient à une réalité à la fois largement partagée, voire universelle et tout à fait singulière, unique. Mais les modes d'attachement sont traversés par l'ambivalence ; ils peuvent concourir à une meilleure socialisation comme exprimer un repli défensif, une peur dans la perte de sécurité.

Le lien social est un processus vivant qui, sur un fond de constance, se transforme continuellement, notamment à la faveur des détachements : ces séparations qui sont imposées à l'adulte ou qu'il s'impose à lui-même : rupture d'amitié, rupture conjugale, perte d'un être cher, perte de l'intégrité corporelle à travers telle ou telle fonction amputée. Le détachement va alors au moins provisoirement malmener le lien social et d'autant plus que ce détachement n'aura pas été prévisible (Neugarten, 1969). Un processus de deuil est à mener pour se défaire progressivement et symboliquement des liens d'attachement ; ce processus suit souvent les mêmes étapes en allant du déni ou de la stupeur à une acceptation permettant une réorganisation.

L'attachement adulte concerne des liens affectifs d'intensité modulable visant des personnes situées dans l'entourage à des distances variables du centre intime de l'adulte ; c'est ainsi qu'outre les relations interpersonnelles immédiates et familiales qui constituent un premier réseau, font parti de l'attachement la pluralité des réseaux sociaux multiformes dans lesquels se trouve intégré l'individu ; ces différents réseaux au sein desquels l'adulte est impliqué constituent un véritable support social ; celui-ci dans la fluidité de son maillage tend actuellement à se substituer aux vieilles institutions tutélaires qui auparavant inséraient de façon durable les individus. Certains des réseaux fréquentés (spécialement familial, professionnel, amical) sont destinés à se transformer en escortes sociales, accompagnant la personne tout au long de son itinéraire de vie, avec des variations dans la densité des escortes au gré des étapes.

VII. – **L'imaginaire de l'adulte face à l'impensable de son angoisse à vivre**

Parler d'imaginaire adulte c'est évoquer les images que les adultes se font d'eux-mêmes, comme celles que l'ensemble social projette sur ces adultes. Cet imaginaire à certains moments a été organisé autour du fameux adulte-étalon, c'est-à-dire autour de la référence et de la norme à approcher ; plus récemment il avoisinait le désir de conquête et de maîtrise. Il en est aujourd'hui à un profond sentiment de désenchantement et de déréliction[1].

1. La métamorphose de la vie adulte à travers ces trois modèles de l'adulte étalon, de l'adulte en perspective de maîtrise et de l'adulte désenchanté constitue l'argumentaire de notre travail, *L'immaturité de la vie adulte, op. cit.*

Un tel imaginaire est aux prises avec un souci de cohérence ou mieux de consonance qui va s'exprimer dans une logique de rationalisation : avoir à tout justifier, réduire l'incertitude existentielle à laquelle nous confrontent nos décisions, éviter les situations de dissonance nées de représentations, d'images discordantes. De ce point de vue les mécanismes de rationalisation qui organisent notre imaginaire jusqu'à l'enfermer semblent chercher à juguler parfois de façon névrotique notre angoisse à vivre, cette angoisse que J.-F. Bugental définissait à partir d'une quadruple prise de conscience :

- conscience de ses propres limites ;
- conscience d'avoir à agir malgré tout ;
- conscience de devoir choisir ;
- conscience de vivre séparé.

Le problème est donc posé à l'adulte qui sait son espérance de vie pour l'instant en croissance continue dans notre culture, de pouvoir paradoxalement donner à son angoisse existentielle une expression appropriée au sein de son imaginaire à travers une prise de conscience non désespérée de ses propres limites ; il s'agira alors de pouvoir affronter une fin inéluctable, agir en fonction de cette fin, poser des choix, affronter la solitude sans laisser se transformer l'angoisse existentielle en angoisse névrotique.

C'est sur fond de ces différents invariants identitaires liés principalement à l'âge, au genre, aux traits de personnalité, au lien social que l'adulte doublé de son imaginaire va être amené à traiter et organiser des expériences dont les modalités toujours singulières ne pourront se détacher totalement de ces marqueurs structuraux qui leur donneront sens. C'est sur un tel fond que les expériences devront être continuellement aménagées pour modaliser cette fameuse angoisse existentielle, c'est-à-dire ce désir de vivre malgré tout.

Vivre avec son angoisse existentielle c'est apprendre à vivre avec ses propres limites ; celles-ci nous sont internes, voire intimes, mais en ces temps de crise elles nous apparaissent aussi comme de plus en plus souvent externes, imposées de l'extérieur à travers des situations de grande frustration qui pour être assumées impliquent la mise en place de médiations. Or ces situations de grande frustration qui peuvent avoisiner ce que G.-N. Fisher appelle des situations extrêmes (tremblement de terre, violence guerrière, accident, maladie, deuil, souffrance, infirmité, rupture affective...) constituent l'autre versant contrasté de notre culture hédoniste de confort ; elles nous prennent au dépourvu. On mesure donc ici la nécessité d'interposer entre soi et l'événement perçu comme menaçant ou frustrant un processus que Lazarus (1984) définit par le terme de *coping,* pour diminuer l'impact de l'événement ; le *coping* cherche par des efforts cognitifs et comportementaux à réduire ou rendre tolérables les exigences internes (liées par exemple à un trouble psychologique, à une maladie grave) ou externes (une situation professionnelle voire financière problématique) qui menacent les ressources de l'individu : la *coping strategy* (stratégie d'ajustement) est une théorie cognitive du stress visant à instaurer une transaction entre l'individu et son environnement perturbant ; l'une ou l'autre des deux formes de *coping* suivantes peuvent alors être développées :

- la première orientée vers l'émotion ;
- la seconde centrée sur le problème.

Ces deux formes vont composer avec deux modes de *coping* : le *coping* d'évitement, le *coping* de vigilance pour susciter de nouvelles habilités psychologiques à affronter des situations frustrantes. À ce sujet se mettre en transition psychologique au cours de son itinéraire de vie illustre une stratégie de *coping* d'évitement lorsque l'on est aux prises avec une situation difficile ; ce peut être un *coping* de vigilance si par la mise en transition on anticipe des situations problématiques.

Lorsque l'impensable déjoue, à travers le surgissement d'une situation extrême, les pronostics de l'angoisse existentielle, une stratégie de *coping* ou de ce qui s'y apparente peut permettre de faire face à l'impossible. Ceci implique la mise en œuvre d'un ressort invisible qui invite à découvrir à la vie un autre sens, en allant jusqu'au bout de soi-même pour percevoir ce qui nous paraît essentiel.

Chapitre VI

L'ANDRAGOGIE, UNE PRÉOCCUPATION ÉQUIVOQUE POUR ABORDER DES PROBLÈMES NOUVEAUX

Les sociétés modernes et postmodernes ont donné une importance sans doute récente mais grandissante à la formation permanente. Ce faisant elles ont découvert que l'adulte apprenait tout au long de son existence mais de façon singulièrement différente de l'enfant et de l'adolescent ; et pour peu que cette formation adulte se trouve suffisamment valorisée, la personne va tirer de sa propre expérience des significations et des capacités inédites pour ses adaptations ultérieures. Ce sont ces enjeux de la formation permanente dans la vie adulte que certains auteurs ont regroupé sous un nom, l'andragogie.

I. – Les contours d'un concept polémique

Concept forgé à partir du fameux substantif grec *anêr,* pour bien spécifier la méthodologie de la formation adulte au regard de celle utilisée chez les enfants, l'andragogie suscite un certain nombre de contestations qui mettent en cause sa propre légitimité.

Une première contestation porte sur l'origine étymologique du terme ; elle se justifie en effet par la tendance, nous l'avons déjà noté plus haut, à assimiler l'*anêr* - être adulte, au seul être homme en opposition à la *gunê,* la femme, excluant donc cette dernière du champ andragogique ; ce n'est évidemment pas dans ce premier sens d'adulte qu'est utilisée ici l'andragogie mais dans sa seconde acception grecque qui oppose l'*anêr*-adulte au *paîs*-enfant.

Une seconde contestation vient alors du fait qu'en voulant situer la spécificité de l'adulte au regard de l'enfant, l'andragogie court le risque de déborder son strict champ centré sur la méthodologie de formation d'adultes pour intégrer des rudiments d'une psychologie de l'adulte. Ce risque de glissement est d'autant plus vraisemblable qu'historiquement les préoccupations autour de l'adulte à travers ce que l'on a communément appelé l'éducation des adultes nous sont venues d'abord des questions que posait sa formation. Pourtant sans se désintéresser de la psychologie de l'adulte, l'andragogie entend occuper le seul versant de la pédagogie des adultes.

Une troisième contestation, celle-là plus radicale et fondamentale, vise l'opposition jugée factice que l'on instaure entre *l'enfant qui apprend* et *l'adulte qui apprend,* comme s'il ne s'agissait pas, disent les contestataires, des mêmes apprentissages, simplement diversifiés par l'âge. C'est à cette dernière critique que nous nous attarderons pour en situer le sens et les limites sur deux plans, un plan plus épistémologique, un plan plus théorique.

D'un point de vue épistémologique, nous avons actuellement tendance à produire des connaissances dans notre culture postmoderne en cherchant à les situer sur un continuum excluant toute différenciation, tout contraste, toute opposition ; une sorte de mythe unitaire, voire égalitariste, semble commander ce refus de classer et d'opposer l'enfant à l'adulte ; un tel mythe rejoint ce que nous avons évoqué au chapitre précédent concernant l'androgynie qui s'interdisait de différencier l'homme de la femme. Il rejoint aussi la tendance au brouillage des classes d'âge que nous avons analysé plus haut.

D'un point de vue théorique l'enfant et l'adulte certes se ressemblent dans leurs capacités d'apprentissage, à cette différence prêt que l'adulte plus que l'enfant est encombré par toute une expérience qu'il a plus ou moins bien mémorisée ; l'adulte par ailleurs inséré dans un environnement et non séparé de son milieu par des institutions scolaires apprend en grandeur nature à partir des problèmes qu'il se pose et non de façon formelle. En outre dans ses apprentissages il a la possibilité d'opérer une distanciation critique lui permettant de relativiser ce qu'il apprend.

Cette démarche d'apprentissage, spécifique à l'adulte, s'oppose donc sur un certain nombre de points à la pédagogie de l'enfant ; avec Knowles (1972), le promoteur de l'andragogie, nous pouvons reprendre les critères qui justifient de penser la spécificité de la formation adulte, que l'on recourt ou non à l'utilisation du terme andragogie ; Knowles insiste sur cinq arguments fondamentaux pour légitimer une pratique spécifique que lui-même ne dédaigne pas dénommer andragogique ; de ces cinq arguments nous pouvons tirer ce qui nous semble constituer les éléments les plus déterminants d'une légitimité andragogique :

- l'adulte est en situation d'autonomie, par rapport à l'enfant ;
- l'adulte dispose d'un potentiel d'expériences ;
- les tâches développementales, les rôles sociaux tenus par l'adulte sont des facilitateurs de l'apprentissage ;
- alors que la perception temporelle de l'enfant est orientée vers le futur, celle de l'adulte a davantage pour cadre le moment présent, avec un souci d'utilisation du savoir ;
- les expériences que l'adulte a intégrées entraînent un changement d'orientation de l'apprentissage avec une centration sur des problèmes et non plus seulement sur des thèmes.

II. – L'adulte face à sa propre expérience

Comme le souligne Knowles, l'andragogie[1], de création récente, est le lieu d'un étrange paradoxe : elle vise à explorer à travers l'éducation des adultes un terrain finalement encore en friche, alors que cette éducation concerne une préoccupation déjà ancienne de l'humanité : Confucius, Lao-Tse, Socrate, les grands mystiques, les moralistes, les mémorialistes, pour ne citer qu'eux, ont déjà voulu se situer au cœur de cette préoccupation de transformation de la personne vers une plus grande autonomie en partant d'une réflexion sur son potentiel d'expériences. Mais cette préoccupation n'a guère été théorisée jusqu'à ce jour.

Prenant donc le relais de tous ces professionnels de la formation expérientielle, l'andragogie insiste sur le fait que l'adulte qui vient en formation arrive avec une expérience à verbaliser, à expliciter ; l'entretien d'explicitation va permettre à cet adulte d'accéder à ses connaissances implicites pour le moment inaccessibles pour lui ; ce faisant la pratique andragogique se fonde sur ce constat général que, contrairement à l'enfant, l'adulte sait beaucoup plus de choses qu'il n'en a conscience ; pour lui selon une formule suggestive, si tout ce qui est appris est acquis, tout ce qui est acquis est loin encore d'être appris. Or pour accéder aux connaissances implicites seulement acquises il devient nécessaire de valoriser une logique du *comment* attachée à la reconstitution dans le temps de ce qui s'est fait avant et non une logique du *pourquoi* qui amène avec elle une rationalisation *a posteriori* ; l'andragogie part en effet de la perspective que l'homme est un être intentionnel qui cherche à donner sens à ce qu'il fait, notamment en s'efforçant de remonter aux origines de ses conduites à travers l'*explicitation* de l'*expérience* acquise, pour mieux saisir et réaliser ses intentions à venir.

1. Cf. *L'apprenant adulte, ibid.*

Accéder au *comment* c'est faire retour sur sa propre expérience, toujours assimilée à une épreuve qui permet, J. Dewey (1947) l'a bien montré, une saisie des possibilités qu'offre le moment présent ; car c'est le propre de l'expérience d'avoir des implications qui dépassent ce que de prime abord on y remarque consciemment. Prendre conscience de ces liaisons ou implications accroît la signification de l'expérience ; ainsi l'accès au *comment* favorise l'émergence d'un processus au cours duquel un savoir est créé grâce à la transformation de l'expérience (Kolb, 1984). Cette expérience devient ainsi autant un levier qu'un obstacle par le fait qu'elle comporte toujours une double face, deux éléments combinés, un élément actif ou habitus structurant et un élément passif de l'ordre de l'habitus structuré (Bourdieu, 1980).

Le recours à l'expérience dans la démarche de formation proposée à l'adulte n'est donc pas le recours à un donné déjà constitué, stabilisé, mais bien la confrontation à quelque chose de nouveau qui ressemble à ce que Bataille appelait un voyage au bout du possible, à travers ce double mouvement complémentaire de fusion et de séparation de l'objet et du sujet.

Un tel mouvement que requiert toute formation adulte implique finalement une expérience à vivre, à analyser et à intégrer à travers une démarche d'*expérienciation* qui se veut processus de traitement de l'expérience à partir des trois caractéristiques bien mises en évidence par Gendlin[1] : le hasard d'une situation émotionnelle, le présent existentiel d'une interrelation, la similitude de la situation avec une situation passée. C'est un tel regard sur l'expérience que l'école ne prend pas le temps de mobiliser chez l'enfant qui lui-même n'a pas encore acquis la souplesse temporelle pour se mouvoir constamment entre le vivre, l'analyser et l'intégrer.

1. Cf. son travail désormais classique *Une théorie du changement de la personnalité,* Montréal, CIM, trad. 1976.

III. – L'exigence d'une abstraction réfléchissante

Pour traiter l'expérience, l'andragogie valorise l'abstraction réfléchissante amenant l'individu à une prise de conscience dans la reconstruction de ses conduites, à travers un recueil d'informations sur ses propres actions. Elle travaille au-delà des opérations formelles sur le registre méta-cognitif, qui vise à découvrir et expliciter la logique qui préside à l'organisation des actions. L'abstraction réfléchissante va se faire à l'aide d'une technique d'induction régressive : une question est posée à l'adulte, à laquelle ce dernier va répondre et associer spontanément une nouvelle question, de nouvelles informations concernant sa propre expérience.

La démarche andragogique, illustrée à ce sujet entre autres par les réseaux d'échange de savoirs, se veut être une formation par l'action-recherche dans laquelle l'expérimentation et la construction théorique sont inséparables. Cette formation ne s'adresse pas à un individu supposé non savoir comme en formation initiale ; elle part au contraire de la reconnaissance de l'autre comme sujet d'un certain savoir à faire émerger. La mise en production que constitue l'explicitation en vue de l'émergence du savoir jusqu'ici occulté va constituer le mode le plus significatif d'appropriation individuelle, voire collective du savoir ; cette appropriation collective dans la perspective andragogique signifie que tout est négociable, la négociation devant viser au développement de la fonction critique.

Certes la démarche andragogique comporte des équivoques ; la connaissance à construire risque de se diluer dans l'auto-apprentissage personnel. Par ailleurs la gestion des parcours de formation à partir de l'expérience de chacun risque d'être extrêmement éclatée. Enfin toute démarche andragogique s'appuie sur une méthodologie d'analyse des besoins ; ces besoins sont évolutifs en cours de route ; de ce point de vue les adultes désirent toujours autre chose que ce qu'ils demandaient au départ.

IV. – L'apprenant adulte dans une logique postformelle

De ce que nous venons d'évoquer nous pouvons en conclure que l'apprentissage adulte possède une base théorique propre qui met en réseau l'expérience acquise, l'expérimentation momentanée et un travail de conceptualisation. Nous concrétiserons cette base en indiquant que l'adulte utilise, sans souci de hiérarchie, les différentes formes d'apprentissage maîtrisées antérieurement (sensori-moteur, perceptif, concret, opératoire formel...) ; cette caractéristique de diversification dans les aptitudes adultes avait déjà été soulignée par J. Piaget (1972).

Mais au-delà de cette diversification obligée l'apprentissage adulte se situe de préférence sur un nouveau registre, celui d'un stade original qui a reçu de différents auteurs des noms spécifiques[1] :

- stade multilinéaire et contextuel de Chandler ;
- stade pragmatique de Labouvie-Vief ;
- stade métacognitif ou stade postformel ou encore stade de méta-apprentissage de Broughton, Gruber et Voneche ;
- stade dialectique permettant de penser la contradiction de Riegel ;
- stade de la formulation de problème d'Arlin : *Problem-finding stage* ;
- stade de la conscience intériorisante de Loevinger ;
- stade de la morale postconformiste de Kohlberg ;
- stade existentiel de Gibbs.

1. Sur la spécificité des apprentissages adultes, cf. notamment Cl. Danis et N.-A. Tremblay, Principes d'apprentissage des adultes et autodidaxie, *Revue des sciences de l'éducation,* XI, 3, 1985, p. 423-440 ; R. Gagnon, L'apprentissage adulte : la phase de la maturité, *Revue des sciences de l'éducation,* XIV, 3, 1988, p. 361-376.

Au-delà de ce qui constitue leurs centrations singulières, toutes ces dénominations ont comme point commun de faire référence dans l'apprentissage adulte au développement d'une pensée postformelle à caractère simultanément métacognitif, dialectique et pragmatique ; or cette pensée postformelle comporte une spécificité critique par rapport à l'apprentissage enfantin, sans toutefois pouvoir être considérée comme une étape terminale de développement mais plutôt comme une étape plus avancée que celle de l'adolescent et surtout plus complexe dans les logiques d'acquisition. C'est une étape ouverte vers de nouveaux possibles. L'apprentissage adulte dans ce qui fait sa spécificité est donc surtout un apprentissage de deuxième niveau centré sur les capacités (apprendre à apprendre, choisir d'apprendre) et non sur les comportements ; cet apprentissage prend en compte de concert trois registres psychologiques, celui des connaissances, celui des attitudes, celui des aptitudes.

V. – Méthodologies d'accompagnement des adultes

Ces dernières décennies, à la faveur de l'extension des activités de formation permanente mais aussi des situations de précarité dans lesquelles se trouvent des adultes en toujours plus grand nombre, ont été élaborées des démarches variées de formation ; ces démarches se soucient de valoriser chacune telle ou telle des caractéristiques andragogiques que nous avons décrites plus haut ; nous interrogerons la fonction de ces méthodologies en nous limitant ici à évoquer quelques-unes d'entre elles qui nous semblent les plus suggestives :

1. **L'autobiographie, le récit de vie, l'histoire de vie.** – Les pratiques liées à l'analyse du curriculum permettent de réconcilier la mémoire observatrice et la réflexion ; dans leurs différentes variantes d'histoire de vie, de récit

de vie, de récit de pratique ou d'autobiographie elles cherchent par une perspective dynamique[1] à constituer un lieu d'expression de l'expérience vécue qui favorise chez l'adulte une progression maïeutique.

L'histoire de vie comme méthode autonome, sans doute la plus instrumentée des analyses de curriculum, implique la référence à une historicité qui simultanément renverra à un projet d'individuation et à une interprétation d'invariants structurels. L'autobiographie quant à elle travaille plus spécialement à valoriser une analyse intentionnelle dans la perspective phénoménologique : le re-souvenir du moi présent qui accède à son propre passé s'ouvre sur un pro-souvenir, c'est-à-dire une possibilité de futurité à dévoiler. Cette possibilité de futurité chez l'adulte n'est pas à traiter comme un inédit, ni comme une simple répétition mais bien comme une reprise créative, une re-création au sens que lui donnait S. Kierkegaard, à savoir un recommencement : ce mouvement de l'individu qui d'étape en étape s'avance sur le chemin de la vie en découvrant dans ce qu'il fait de nouvelles significations et de nouvelles possibilités, pour aller, moins vulnérable et naïf, jusqu'au terme du voyage.

2. **Le bilan-diagnostic et le bilan-orientation.** – Les pratiques de bilan de compétences cherchent elles aussi à s'inscrire dans une logique de l'individuation par une production identitaire faite par l'adulte à partir de ses acquis et de ses perspectives d'avenir ; si la pratique des récits de vie est plus informelle qu'institutionnelle il n'en est pas de même des bilans ; ceux-ci sont encadrés par des centres de bilan qui accueillent les adultes effectuant une démarche volontaire finalisée par des productions.

1. C'est ainsi que pour G. Pineau, l'histoire de vie renvoie à une vie adulte inachevée ; pour M. Ferraroti l'approche biographique met en cause la conception naïve de la connaissance ; on ne peut pas connaître sans être bouleversé, transformé. C'est une problématique semblable qui est présente chez P. Dominice.

Cette démarche comporte deux fonctions : prévision, intégration. Elle implique un plan d'action pour passer des compétences déjà maîtrisées aux compétences dont l'acquisition est souhaitée.

Le bilan qui est une démarche personnelle pour mieux gérer les changements auxquels se trouve confronté l'adulte se situe à l'intersection de la sphère personnelle et de la sphère professionnelle ; à travers une reconnaissance des acquis il vise à ce que l'adulte fasse le point sur ses compétences pour les transférer et les mobiliser dans d'autres situations présentes et à venir ; le bilan doit s'appuyer sur la métacognition en aidant la personne à prendre conscience de ses schémas et outils de pensée pour pouvoir les appliquer dans des situations nouvelles.

3. **Le travail sur le projet.** – Nous nous inspirons ici d'une formulation éclairante d'A. Lhotellier[1] pour définir une autre pratique de formation individualisante, le travail de l'adulte sur son propre système d'intentions ; ce travail sur le projet vise pour les instances professionnelles de conseil à se constituer en instances ressources à la disposition de l'adulte qui le demande ; la démarche sera conduite individuellement dans un entretien de face à face ou collectivement dans des ateliers-projets. Il s'agit d'aider l'adulte à s'interroger sur les possibles qu'il souhaite privilégier. Cet adulte sera ensuite amené à délimiter d'une façon réaliste qui tienne compte des contraintes de la situation ses zones privilégiées d'intentionnalité et les moyens d'en explorer plus avant certaines. Un tel travail se fera par le recours à une analyse de la situation, de soi et de son expérience au regard de l'environnement, des opportunités qu'il recèle ; cette analyse implique pour

1. Cf. Le travail méthodique de projet, *Éducation permanente,* 87, 1987, p. 67-72. Voir aussi concernant ce même travail sur le projet la perspective de J. Vassileff, *La pédagogie du projet en formation Jeunes et Adultes,* Lyon, Chronique sociale, 1988.

l'intéressé un renouvellement de ses cadres perceptifs dans l'appréhension qu'il se fait de lui-même, de son expérience, de l'environnement dans lequel il évolue ; elle sera confrontée ensuite aux priorités intentionnelles explicitées par l'adulte, aux justifications que cet adulte associe à ces priorités ; une décision devra alors être prise engageant par la suite un processus de réalisation.

À l'issue de ce véritable travail sur soi-même, sur son expérience, sur ses intentions, sur ses relations à l'environnement, l'adulte devra pour parvenir au terme de sa démarche éviter de succomber aux injonctions du conseiller à projet, ce qui suppose une forte implication, voire une forte détermination de l'adulte qui fait de son projet son affaire propre.

4. **Les pratiques de formation.** – Des pratiques très diversifiées de formation existent qui concernent la participation de l'adulte en position de stagiaire à une action de formation au sein d'un groupe ; pour que la démarche de formation soit effective, cet adulte arrive guidé par un projet individuel de formation qu'il va négocier avec l'instance de formation, les formateurs, et si la formation est suffisamment ouverte les autres stagiaires.

Selon le cadre problématique définissant l'action de formation, la démarche proposée pourra viser davantage des contenus expérientiels, didactiques, professionnels plus ou moins préformés au départ et donc non laissés totalement à la libre initiative du moment. Par ailleurs plus que les dispositifs que nous venons de décrire, les pratiques de formation s'inscrivent dans un espace social ternaire qui reste toujours à aménager pour éviter les équivoques : l'organisme commanditaire de la formation qui peut être dans certains cas la propre autorité hiérarchique dont dépend l'adulte, l'organisme prestataire de formation, le groupe de stagiaires ; si l'organisme commanditaire détient le financement et le programme, la pédagogie relève du prestataire, tandis que les stagiaires viennent avec leurs demandes et attentes. L'espace de négociation sera alors essentiel pour que les stagiaires s'approprient la démarche qui leur est proposée.

5. **Les pratiques de conseil.** – La fonction de conseil ou de consultation qui se veut travail de facilitation auprès d'un adulte face à une décision, une orientation à prendre, une incertitude à gérer, un problème à résoudre, vise toujours à un recadrage de la demande initiale présentée par l'adulte. Le recadrage de la consultation se fera principalement à travers les deux opérations de nommer et référencer ; il pourra être mené de plusieurs manières, telle celle de la métaphore générative développée par D. Schon[1] ; cette démarche cherche, à partir de ce que les gens disent et font, à inférer leur mode de pensée et tenter de voir si ce mode comporte une métaphore générative, de nature à engendrer de nouvelles perspectives, de nouveaux cadres, de nouveaux référents. En fait il s'agit moins de se situer ici au niveau du *problem-solving* que de privilégier le *problem-setting* : travailler sur la façon par laquelle l'adulte énonce son problème, sur les métaphores qu'il utilise pour formuler ce problème, afin de l'aider à prendre conscience de ces métaphores et à les critiquer (Lhotellier, 2001). Le conseil sera alors identifié à un processus à construire dans lequel la façon de procéder pour arriver à une solution devient plus importante que la solution elle-même. Ce processus implique l'interaction de trois moments, celui de l'*in-put* de la situation initiale, celui du traitement de cette situation, celui de l'*out-put* de la nouvelle situation. Il s'appuiera dans la mise en œuvre de ces interactions temporelles sur les quatre composantes suivantes : une composante relationnelle, une composante méthodolo-

1. Cf. La métaphore générative. Une façon de voir la formulation du problème dans les politiques sociales, *in* R. Tessier et Y. Tellier, *Changement planifié et développement des organisations,* Presses de l'Université du Québec, t. 7, 1992.

gique, une composante technique, une composante systémique.

La consultation selon les contextes pourra évoluer de la facilitation vers l'expertise, cette dernière impliquant de la part du consultant une attitude beaucoup plus directive auprès de son client : en fait toute consultation emprunte les deux formes d'intervention de façon implicite ou explicite.

VI. – Entre théorie du capital humain et théorie du double emploi

La question que finalement nous pouvons nous poser à propos de l'utilisation de ces différentes méthodologies du changement adulte souvent réduites d'ailleurs à de simples techniques est la suivante : au service de quelle perspective ces démarches sont-elles développées ? Visent-elles à valoriser la théorie du capital humain, aidant chaque adulte à découvrir et utiliser au mieux ses potentialités à partir de l'expérience acquise ? Cherchent-elles au contraire à accompagner voire à durcir la théorie du double emploi, c'est-à-dire du filtre en conférant à la précarité structurelle d'un grand nombre d'adultes une physionomie acceptable de relégation, n'octroyant qu'à une minorité le passeport d'une effective autonomie[1] ? Ces démarches sont-elles effectivement émancipatrices ou annonciatrices d'une nouvelle féodalisation des relations humaines, celle qui se profile de façon de plus en plus visible dans les méandres de notre culture postmoderne ?

Faute de pouvoir répondre à un tel dilemme, se poser la question est déjà éclairant ; par ailleurs utiliser ce modèle dichotomique de lecture pour saisir les enjeux de

1. Sur ces deux théories économiques du capital humain et du double emploi ou du filtre, pour une présentation-critique, cf. D.-G. Tremblay, Insertion professionnelle des jeunes, un problème de capital humain ou de filtre, *in* Cl. Laflamme, *La formation et l'insertion professionnelle, op. cit.*

certaines actions n'est pas sans intérêt. Enfin pour le professionnel travaillant auprès d'adultes, prendre conscience du défi permanent auquel sa pratique est confrontée peut paraître mobilisateur : ce défi vise une démarche émancipatrice sans supprimer les risques d'un possible assujettissement.

Chapitre VII

REPÈRES THÉORIQUES POUR UNE COMPRÉHENSION DE LA VIE ADULTE

Il serait long et fastidieux de passer en revue l'ensemble des théories formalisées depuis une cinquantaine d'années entretenant des liens plus ou moins directs avec une compréhension de la vie adulte ; il nous semble plus opportun dans un premier temps de nous donner une lecture critique des courants théoriques les plus significatifs à partir d'un cadre de référence éclairant pour ensuite sélectionner, faute de disposer de modèle unifiant, quelques propositions les plus susceptibles de mieux prendre en compte les enjeux actuels de l'existence adulte.

Les théories qui de façon plus ou moins fragmentaire cherchent à nous faire comprendre les défis propres à la vie adulte le font à partir d'approches relativement variées, mais souvent simplifiées car malmenées sans doute par la complexité de l'objet sur lequel porte leur attention. Faute de restituer ici cette variété de points de vue, nous privilégierons une double perspective qui nous paraît centrale dans les débats actuels sur l'adulte. D'une part nous rendrons compte des théories selon la conception dominante qu'elles véhiculent à propos du développement adulte ; nous retiendrons cinq conceptions, les conceptions déterministes, homéostasiques, adaptatives, dynamiques, aléatoires. D'autre part nous ordonnerons les théories en fonction de la sphère qu'elles valorisent dans leur appréhension de la vie adulte ; sept sphères seront ici mises en évidence :

l'insertion professionnelle et la carrière, la stabilité des composantes de personnalité, le curriculum lié à l'âge ou au genre, le cycle de vie entrevu comme séquentiel, le vieillissement inéluctable, l'actualisation libératrice, l'expérience à expliciter. Un tableau récapitulatif à double entrée permettra de croiser ces deux dimensions étudiées qui nous ont semblé pertinentes, la conception en cause dans le développement, l'objet privilégié sur lequel porte ce développement. Un tel croisement nous paraît éclairant des caractéristiques fondatrices de chacune des théories passées en revue.

Toutefois cette récapitulation théorique n'a d'autre prétention qu'une mise en ordre heuristique ; elle ne vise pas à l'exhaustivité et chacune des catégories isolée n'est pas exclusive d'un auteur ou d'un courant. Un même auteur pourra donc se retrouver à plusieurs endroits de notre récapitulation.

I. – Conceptions en jeu dans les modes de développement adulte

En courant le risque de certaines approximations et réductions pour ordonner un champ théorique quelque peu foisonnant, nous pouvons organiser les courants de pensée les plus caractéristiques concernant le mode de développement en cause autour de cinq logiques liées à l'évolution de la vie adulte ; nous le ferons de la façon suivante :

1. **Conceptions à perspectives déterministes.** – Les approches psychanalytiques orthodoxes ont tendance depuis leur origine à véhiculer une conception pessimiste et déterministe de la destinée adulte, conceptions qui éclairent cette destinée lorsqu'elle est prise dans une compulsion de répétition ; considérant l'enfant comme le père de l'adulte, elles font souvent dépendre les choix adultes d'expériences tenaces, plus ou moins mal vécues au cours

de l'enfance ; ces expériences contribuent à structurer un inconscient a-temporel qui va peser sur la destinée adulte. De ce fait, A. Freud l'a bien montré, l'adulte est perçu comme la proie des mécanismes de défense que son enfance a progressivement mis en place.

Cette conception déterministe se retrouve chez des dissidents psychanalystes comme A. Miller qui entrevoit l'adulte comme devant affronter les blessures de l'enfance qui demeure encore en lui, d'une enfance refoulée et réduite au silence.

Une conception similaire va se rencontrer dans la perspective de L. Szondi centrée sur l'analyse du destin, telle que cette dernière résulte, à travers les choix posés, de l'étude du drame humain. Cette analyse renvoie à des types de personnalité constitués à partir de l'inconscient familial.

2. **Conceptions homéostasiques.** – Ici nous sommes en présence de variables plus structurelles que causales pour rendre compte du cours de la vie adulte ; ces variables structurelles sont liées au mode de relation que l'adulte entretient avec son environnement ; elles ont pour fonction de minimiser les écarts dans l'évolution des conduites adultes.

Signalons tout d'abord les travaux précurseurs en orientation professionnelle de F. Parsons ; ces travaux qui ont marqué plus de cinquante ans de psychologie de l'orientation sont caractéristiques d'une conception statique soucieuse d'équilibration ; ils considèrent le choix comme un compromis momentané entre les attentes de la personne et les demandes de l'environnement, compromis qui va s'exprimer à travers un appariement de représentations, celles relatives au soi et celles liées à l'environnement dans lequel évolue le soi.

C'est sans doute en lien avec ces travaux qu'il faudrait situer la contribution plus récente de J.-L. Holland qui en reste à un appariement, mais ici entre des types de personnalités et des types d'environnement ; Holland a travaillé sur les six types de personnalité suivante : réaliste, d'investigation, artistique, social, entreprenant, conventionnel.

Cet appariement individu-environnement est très bien illustré par ailleurs dans l'approche cybernétique à visée homéostasique qui met au centre de son dispositif *le feed-back* négatif comme système de régulation des échanges individu-environnement, système destiné à rendre les écarts entre les choix de l'individu et les contraintes de la situation toujours tolérables.

Dans cette même perspective de l'équilibration évoquons les travaux de B. Neugarten qui insiste sur une logique continuiste de l'ajustement permettant d'intégrer les changements momentanés : ce qui survient en aval s'explique par ce qui s'est passé en amont. Enfin comme auteurs cherchant surtout à valoriser la continuité ou les changements minimes dans la vie adulte, mentionnons Costa, McCrae et Palmore.

D. Riverin-Simard va reprendre la problématique de Holland pour penser des trajectoires professionnelles selon des types de personnalité vocationnelle ; elle va le faire non plus à partir d'une recherche d'équilibration mais d'un questionnement permanent au regard de transitions vécues par les adultes et marquées par leur instabilité.

3. **Conceptions adaptatives.** – La logique adaptative est liée à des séquences de changements déterminées par des facteurs externes : si déjà chez D. Levinson cette perspective est présente à travers le rôle des facteurs externes, J. Giele illustre bien cette approche en parlant de modèles temporels des cycles de la vie pour désigner ces séquences. B. Neugarten, en ce qui la concerne, entrevoit le changement développemental de l'adulte comme une adaptation conduisant à une intimité croissante ; cette adaptation est liée à la façon par laquelle l'individu utilise son expérience.

C'est la même logique adaptative que l'on retrouvera présente chez les tenants d'une oscillation autour du concept de soi, d'abord à partir de trois structures : le soi personnel, le soi adaptatif, le soi social. La conception adaptative liée au concept de soi est au centre des travaux de Baldwin, Rodriguez-Tome, Gordon, Mead, Ziller, Bugental et L'Écuyer entre autres ; le soi pour ces auteurs est entrevu comme l'ensemble des traits, images, sentiments organisés de façon plus ou moins consistante que l'individu reconnaît comme faisant partie de lui-même. L'appréhension du soi est tributaire du type d'environnement dans lequel nous évoluons mais aussi de l'influence de nos succès et échecs, de la perception que nous en prenons et de l'observation que nous faisons de la performance des autres ; le sentiment de soi est de plus dépendant du modèle dominant d'attribution qu'il développe, selon qu'il se montre plus sensible au fait de rapporter ses résultats obtenus à lui-même (causalité interne) ou à des causes extérieures (externalisation), comme l'a mis en évidence Frieze.

De son côté G. Vaillant, se basant sur différentes études longitudinales se fait l'avocat d'un changement graduel avec l'âge vers une plus grande maturité afin de répondre aux besoins à satisfaire et aux conflits à résoudre ; ce changement est réalisé à travers des mécanismes d'adaptation du soi identifiés à des mécanismes de défense.

Enfin comme autre forme de théorisation adaptative signalons les travaux réalisés dans la mouvance de Lazarus et des phénomènes de *coping* ; face à un environnement perturbant, voire frustrant, des stratégies de riposte sont à développer pour maintenir les capacités d'adaptation de l'individu.

4. **Conceptions dynamiques à orientation vocationnelle.** – Ces conceptions en réaction contre les trois précédentes sont spécialement illustratives de l'école huma-

niste d'inspiration nord-américaine ; fruit de nombreuses contributions bien différentes les unes des autres, elles se caractérisent par un trait commun, l'attitude positive par laquelle le développement est conçu ; ce dernier est entrevu comme devant mener l'adulte vers une croissance, un « plus » d'autonomie, de réalisation de soi ; le développement s'identifie alors à un cheminement vers une plus grande maturation vocationnelle, une plus grande congruence avec soi-même, en un mot une meilleure actualisation de soi.

A) *Une dynamique de continuité.* – Cette conception est principalement liée aux fondateurs de la psychologie humaniste et existentielle ; ceux-ci avec notamment Maslow, Rogers et May insistent sur l'acte originel qui fonde toute vie adulte : trouver les moyens pour tout individu d'actualiser sa conquête d'autonomie et de liberté à travers la propre expérience qu'il mène.

Pour une autre part cette approche dynamique, toujours reliée à la mouvance humaniste, est issue des contributions de E. Ginzberg qui opère une véritable coupure épistémologique dans les théorisations de l'orientation professionnelle en insistant sur une conception évolutive de l'itinéraire de vie. Pour ce faire Ginzberg valorise la carrière et le processus dans les choix de plus en plus réalistes que va faire le jeune qui avance en âge. À sa suite Super et Crites étendront cette perspective à l'ensemble de la vie adulte.

B) *Une dynamique de changement.* – Ces premiers travaux qui initient une réflexion autour du développement vocationnel, sont à mettre en lien avec un ensemble de contributions centrées sur l'évolution et le changement plus ou moins discontinu associés à des passages, des transitions, des transformations qui constituent autant d'étapes, de stades au sein d'un itinéraire personnel ; la vie adulte dans ce contexte s'inscrit dans un cycle de vie marqué par un changement séquentiel quelque peu orienté à travers un processus de croissance personnelle ; des auteurs comme Bühler, Havighurst, Levinson, Kholberg, Riverin-Simard illustrent cette perspective. Ils envisagent les stades comme une suite hiérarchique où chaque étape est organisée à partir des conflits liés aux réalisations de l'étape antérieure. Nous sommes là en présence d'un changement polarisé de la vie qui pourra être assimilé à une métaphore suggestive ; déjà en son temps pour évoquer le cours de la vie C.-J. Jung parlait du déplacement du soleil tout au long d'une journée. C. Bühler de son côté identifiait le cycle de vie à l'ascension d'une montagne avec un but que l'on se fixe dans le sommet à atteindre, puis la descente à amorcer. D. Levinson en ce qui le concerne préfère l'image des quatre saisons de l'année pour caractériser les étapes de la vie, la jeunesse du printemps, la maturité de l'été, l'âge mûr de l'automne, l'hiver de la vieillesse.

Une telle conception dynamique sera par ailleurs concrétisée dans l'enchaînement de stades de développement, ceux formalisés par Kolhberg à propos du jugement moral, ceux définis par Rigel, Gruber, Arlin à propos de la vie intellectuelle par exemple.

L'itinéraire adulte pourra aussi être appréhendé à travers une pression sociale amenant une transformation de l'individu pour le faire accéder à un nouveau statut de plus grande autonomie sociale ; cette position est illustrée par les travaux anciens de Van Gennep avec son concept d'initiation. Elle se trouve reprise et renouvelée plus récemment avec le concept de passage de Sheehy.

C) *Une dynamique de rupture.* – Une autre sensibilité dans les recherches des courants humanistes voit dans l'âge adulte une situation d'incertitude et de crise dont l'issue est incertaine, liée à des éléments psychologiques mais aussi contextuels. Cette situation exprime un malaise intérieur, une remise en question. L'itinéraire adulte sera alors ramené à une suite de ruptures et de transitions qui auront pour fonction de conforter le processus de croissance individuelle ou de le stopper, voire de l'inverser ; une telle perspective, chacun de son côté, Erikson, Gould et Kaës l'illustrent.

Ainsi peut-on ranger E.-H. Erikson dans cette problématique de crise lorsqu'il décrit trois grands stades à l'âge adulte, liés à une réorganisation comportementale exigée par un conflit avec l'environnement :

- l'intimité par opposition à l'isolement s'impose aux alentours de vingt ans ;
- la générativité par opposition à la stagnation caractérise la trentaine, voire la quarantaine ;
- l'intégrité par opposition au désespoir constitue la tâche majeure des dernières décades de la vie.

Gould de son côté tente un compromis entre l'approche phénoménologique et l'approche psychanalytique ; la personne est ici entrevue comme l'agent premier de son développement ; mais ce dernier est un processus dynamique souvent perçu par l'individu comme une menace à sa sécurité personnelle parce que l'obligeant à vivre dans un état de perpétuelle transformation de sa conscience. Toute transition est porteuse d'un conflit virtuel susceptible de remettre en question les habitudes de vie. Ainsi en est-il de l'insertion professionnelle considérée comme un processus transitionnel.

R. Kaës est certainement proche de cette conception, qui assimile le développement à une suite de ruptures mais sans que l'issue en soit jouée d'avance : l'homme est un être de crise, oscillant continuellement entre ruptures et sutures. C'est donc par des dérèglements multiples ouvrant sur des résolutions toujours précaires que l'homme se crée sa propre histoire.

La conception dynamique pourra revêtir dans le cadre de certaines problématiques sociopolitiques un aspect radical se caractérisant dans le meilleur des cas par une progressive conscientisation dans la mouvance libertaire, voire marxiste (Illich, Freire, Seve).

5. **Conceptions aléatoires et contextuelles.** – Labouvie-Vief et Chandler insistent sur le rôle des contextes que fréquente l'adulte et qui vont contribuer à préformer ses orientations. Le développement adulte est conçu alors de façon multidimensionnelle sans orientation définie au préalable ; le caractère aléatoire devient déterminant.

Kaës (1979) pourrait être considéré comme représentatif de cette conception lorsqu'il étudie l'évolution de la vie adulte en n'attribuant aucun sens prédéterminé à cette évolution. Il entrevoit l'homme comme un être de crise dans sa genèse et sa structure ; à l'origine la mise au monde est mise en crise, dérèglement multiple ; l'homme, cet agent subjectif du jeu intersubjectif se spécifie par la crise et par sa résolution. C'est ainsi qu'il se crée homme et son histoire transite entre crise et résolution. À l'intérieur de ces limites se déploie un espace de possible création, de dépassement et de jeu, le fameux espace transitionnel.

La crise en tant que perturbation, accroissement des désordres et des incertitudes, peut tenir à des causes externes (présence d'une situation conflictuelle dans l'environnement par manque ou par pluralité d'objets) ; elle peut aussi relever de causes internes (défaillances dans les mécanismes de régulation). Pour Kaës toute crise implique une logique, non de l'individu mais de la relation. Dans le tableau ci-après nous visualisons les principales logiques de développement adulte passées en revue.

Ces cinq logiques définissent des centrations différentes quant au développement du curriculum adulte ; elles renvoient chacune à une trajectoire caractéristique liée à un parcours adulte déterminé ou à telle ou telle séquence de ce parcours ; aussi plutôt que de tenter de les

Tableau 4. — **Logiques du développement adulte en fonction des conceptions théoriques dominantes**

Conceptions dominantes	*Modèles de référence*	*Théoriciens de référence*
Déterministes	Psychanalyse	S. Freud
	Analyse du destin	Szondi
Homéostasiques	Orientation professionnelle	Parsons
	Typologie de personnalité	Holland
Adaptatives	Concept de soi	L'Ecuyer, Vaillant
Dynamiques à orientation vocationnelle	Continuité	Super, Crites
	Changement	Levinson, Havighurst
	Rupture	Erikson, Gould
Aléatoires	En lien avec le contexte	Labouvie-Vie, Chandler
	Par crises	Kaës

hiérarchiser, il vaut mieux les aborder dans leur complémentarité, plusieurs logiques pouvant aider à rendre compte simultanément d'une même situation de la vie adulte dont le trajet intègre une pluralité de trajectoires.

II. – Objets privilégiés dans les études du développement adulte

Délaissant les modes de développement, nous pouvons maintenant repérer les objets privilégiés étudiés par les théoriciens de la vie adulte ; nous rangerons alors les thématiques valorisées en sept catégories :

1. **L'adulte vocationnel vu sous l'angle de son insertion professionnelle et de sa carrière.** – Dans la mouvance des tenants du développement vocationnel, à la suite notamment de D. Super et de D. Levinson qui insistent sur le cheminement professionnel et le travail comme composantes majeures gérées par des choix vocationnels,

D. Riverin-Simard (1984 et 1996) développe la problématique de l'évolution de l'adulte au cours de sa vie de travail ; dans une première étude elle entrevoyait l'évolution vocationnelle de l'adulte à partir de deux transferts majeurs qu'elle qualifiait de planétaires : de l'école au travail et du travail à la retraite, ces transferts se réalisant à travers des phases de structuration, de déstabilisation et de transition ; actuellement elle considère que l'évolution adulte au travail passe par une suite de changements pouvant prendre des allures chaotiques en lien avec l'âge chronologique.

2. **L'adulte vu sous l'angle de ses dispositions plus ou moins permanentes de personnalité.** – Les études psychométriques de personnalité type Cattell (traits constitutionnels et traits acquis) ou type Allport (traits communs et traits personnels) ou encore type Eysenck (extraversion et introversion), voire Guilford (convergence, divergence), relèvent de cette approche. Elles valorisent une certaine stabilité qui va contribuer à modeler des formes d'itinéraires au cours de la vie adulte.

Les travaux de Holland par ailleurs sont caractéristiques de la mise en relief des traits de personnalité pour appréhender la vie adulte ; se situant dans la mouvance du développement vocationnel ils donnent aux composantes de personnalité une importance décisive dans l'élaboration des choix ; ses six types de personnalité que nous avons évoqués plus haut constituent à ce sujet une donnée de base dans la façon par laquelle ils entrent en cohérence ou en conflit avec les formes d'environnement dans lesquelles ils évoluent.

3. **L'adulte, un cycle de vie à accomplir tributaire soit de l'âge, soit du genre.** – Plusieurs théories prennent en compte l'âge ou le genre comme paramètre essentiel, rarement les deux à la fois, pour tenter de comprendre l'évolution de la vie adulte.

A) *Le curriculum adulte tributaire de l'âge.* – Le penseur le plus représentatif des cycles de vie est sans conteste D. Levinson (1978) qui insiste au niveau du développement de la vie adulte sur l'importance de l'âge chronologique.

Havighurst de son côté voit la vie adulte comme une suite de tâches développementales liées à l'âge ; il distingue entre l'adolescence et la vieillesse quatre étapes caractéristiques de développement de la vie adulte, une tous les dix ans :

- 18-30 ans, étape de structuration de l'existence ;
- 30-40 ans, stabilisation à travers les expériences menées ;
- 40-60 ans, épanouissement et premiers changements somatiques ;
- 60-70 ans, désengagement progressif.

D'autres auteurs vont valoriser la dimension âge ; ainsi R. L'Écuyer planifie les transformations du concept de soi depuis l'époque de la maturation du soi (24-25 ans jusqu'à la sénescence du soi à 100 ans), en passant par les intermédiaires de la polyvalence du soi, de l'accomplissement du soi, de la reviviscence du soi. D. Riverin-Simard quant à elle voit l'évolution du développement vocationnel à travers des transformations qui surviennent tous les trois ou quatre ans au cours de l'âge adulte.

B) *Le curriculum adulte tributaire du genre.* – Outre Levinson qui oppose les rôles masculins et féminins trois autres auteurs vont mettre en évidence le développement spécifique de l'adulte femme par rapport à l'adulte homme ; il s'agit de Frieze, Giligan et Scarf. Pour ces auteurs les femmes sont centrées sur les relations interpersonnelles quand les hommes focalisent leur énergie sur les réalisations.

4. **L'adulte entrevu sur un mode séquentiel comme être de transition.** – De nombreuses théories entrevoient

l'adulte à sa capacité d'assumer des séquences de vie et le passage plus ou moins brusque d'une séquence à l'autre. Pour Levinson le processus progressif de maturation inclut l'alternance des périodes de stabilité et des phases de transition ; les premières sont créatrices de structures de vie faites de rôles et relations, les secondes sont destinées à réexaminer le maintien ou le changement de ces structures de vie ; chaque transition est selon lui l'occasion d'accomplir deux tâches :

- réévaluer la période précédente pour départager l'essentiel de l'accessoire ;
- intégrer de grandes polarités du type jeunesse en opposition à vieillesse, destruction en opposition à création, attachement en opposition à séparation.

Par rapport à cette conception de la transition adulte on peut situer en contraste celle de Kaës cherchant à comprendre le processus de passage entre deux états subjectifs, c'est-à-dire cette zone intermédiaire d'expérience entre deux résolutions provisoires. Le passage sera ouvert lorsque le sujet pourra inventer un espace potentiel type trouver/créer ; cet espace qui constitue un nouveau champ d'illusion est une aire transitionnelle associée à un temps transitionnel. Mais le passage conduira à une impasse si l'espace entrevu est vide et le temps perçu un temps de rien ou à l'inverse si l'espace est un espace objectif réifié et le temps un temps plein.

5. **L'adulte, une progressive actualisation libératrice à orienter.** – Saint-Arnaud à la suite de Rogers et Maslow voit dans la vie adulte un accomplissement de soi à travers différentes réalisations, accomplissement prenant la forme d'un cheminement ascendant. À travers ses réalisations le soi s'actualise. Cette actualisation passe par la mise en activité comme l'ont souligné différents auteurs : R. Havighurst, et sous d'autres formes H. Bonner avec sa personnalité pro-active, G. Lapassade dans la perspective de l'inachèvement, P. Freire à travers la conscientisation.

Une telle conception optimiste caractéristique de la psychologie humaniste se retrouve chez D. Riverin-Simard pour qui le développement vocationnel passe d'abord par un dépassement continu de sa singularité pour se rapprocher ensuite d'une certaine complétude humaine.

6. **L'adulte, un vieillissement à anticiper.** – Dans la perspective des courants du *aging,* le temps adulte est entrevu par certains théoriciens comme une période intégratrice de l'expérience ; pour d'autres au contraire il est considéré comme un déclin inévitable que la personne va tôt ou tard concrétiser en opérant un désengagement de ses rôles et positions actuels, quitte pour elle à maintenir une activité minimale susceptible de l'aider à conjurer le vieillissement.

Tableau 5. — **Synoptique des conceptions liées à la vie adulte**

	Conceptions				
Préoccupations	*Déterministe*	*Homéostasique*	*Adaptative*	*Dynamique*	*Aléatoire*
Développement vocationnel		Neugarten		Super	
Dispositions de personnalité	Miller Szondi	Holland			
Déterminations liées à l'âge ou au genre		Havighurst	R. Simard L'Écuyer		
Transition et crise	A. Freud			Levinson Gould	Erikson Kaës
Libération et actualisation				Maslow Rogers	
Vieillissement et déclin	Henry				
Expérience à expliciter	Miller			Vaillant Gendlin	

7. **L'adulte, une expérience à faire parler.** – Avec Neugarten les changements de l'existence sont orientés par l'expérience subjective, dans la façon de percevoir et d'utiliser son expérience personnelle, de structurer son environnement ; par cette expérience l'individu appréhende le temps, conçoit les thèmes majeurs de la vie et élabore son identité personnelle ; une importance est donnée ici aux valeurs culturelles et sociales. L'insertion est la résultante d'un processus dynamique entre soi et l'environnement.

Gendlin prône une théorie du changement de la personnalité issue du processus de traitement de l'expérience à travers une rupture radicale entre l'enfant et l'adulte. Ce dernier est à la recherche des significations latentes de son expérience grâce à un processus émotionnel intense survenant dans le contexte d'une relation interpersonnelle momentanée.

De nombreux autres chercheurs insistent sur le rôle de l'expérience comme facteur de structuration de la vie adulte ; ainsi Kolb envisage-t-il la formation expérientielle comme un processus de transformation de l'expérience et de production d'un nouveau savoir sur cette expérience. Par ailleurs mentionnons les travaux de P. Vermersch[1], qui tente, à travers l'expérience vécue mais non verbalisée, de trouver des modèles d'explicitation de cette expérience, explicitation d'un non-encore-conscient[2] qui nous échappe et qui pourra être ressaisi et compris par la verbalisation de l'expérience. Enfin évoquons les différents tenants des histoires de vie (Dominicé, Pineau et Legrand entre autres), soucieux en

1. Cf. Expliciter l'expérience, *Éducation permanente,* 100-101, 1984 ; voir aussi L'entretien d'explicitation dans la formation expérientielle organisée, *in* B. Courtois, G. Pineau, *La formation expérientielle des adultes,* La Documentation française, 1991.

2. C'est ainsi que ce travail sur l'expérience, *sur des connaissances non encore conscientisées,* selon les propres termes de Vermersch, rejoint ce *non-encore-conscient* d'E. Bloch, au centre de toute créativité, de ce que Bloch dans son *Principe Espérance* appelait l'utopie concrète.

ce qui les concerne d'aider l'adulte à extérioser son capital d'expériences ; il s'agit par une telle extériorisation de rendre ce capital plus signifiant.

Dans le tableau à double entrée ci-dessus (tableau 5) nous essayons de mettre en relation les deux variables qui nous ont servi à situer les différentes théories de la vie adulte :

- les conceptions de la vie adulte situées au regard du développement du temps vécu, d'une part ;
- les préoccupations dominantes véhiculées à propos de cette vie adulte étudiée d'autre part.

Sans prétendre remplir toutes les cellules du diagramme ainsi formé, nous avons voulu à titre heuristique identifier des auteurs caractéristiques aux points de convergence de ces deux variables.

III. – Perspectives d'un développement aléatoire fait de transitions et de crises

Le contexte culturel actuel qui conduit à une déstabilisation de la vie adulte aura néanmoins le grand mérite de révéler cet adulte à lui-même, dans ce qui constitue son authenticité. Cette authenticité se dévoile à partir du survol théorique que nous venons d'effectuer qui permet de mieux situer l'adulte comme être pluriel, autonome et inachevé ; mais notre survol nous a par ailleurs montré le caractère problématique de certaines théorisations.

Ainsi réduire aujourd'hui le développement adulte à la seule sphère professionnelle peut apparaître comme une impasse à un moment où la profession devient un régulateur de moins en moins fiable ; au-delà de la profession c'est donc par rapport au cadre plus global du travail, c'est-à-dire de la sphère active, qu'il faut camper les possibilités de développement ou de régression de l'adulte.

Si par ailleurs l'avancée en âge pour l'adulte est inéluctable et produit des effets spécifiques, le développement en autonomie et en réalisation de soi n'est en rien automatique ; nous pouvons observer trop d'adultes en situation de régression psychologique et de dépendance pour les traiter en simples exceptions vis-à-vis de la règle de l'accomplissement de soi.

Sans doute à l'instar de ce qui se passe chez l'enfant et l'adolescent le développement adulte ne saurait être assuré de façon automatique ; il dépend des aléas du couple individu-environnement. Ce développement se manifeste sous une forme saccadée à travers un ensemble de crises plus ou moins bien dépassées, de structurations d'expériences, de transitions ; par ailleurs entrevu d'abord comme non linéaire il s'exprime dans son imprévisibilité et sa multidimensionnalité, de par la présence d'événements révélateurs, facilitants ou inhibants ; il implique de la part de l'individu un engagement vis-à-vis de lui-même pour tenter de resaisir le cours de son existence en fonction des possibles de la situation à laquelle il se trouve confronté et du sens qu'il entend conférer à sa propre entreprise.

Indiquons de plus que l'adulte, toujours placé entre deux âges, incarne une bonne approximation des logiques de développement, dans leur ambivalence ; en effet le développement de certaines capacités va de pair avec le plafonnement plus ou moins durable de capacités différentes et la régression de certaines autres.

Dans un tel contexte une théorisation de la vie adulte comme catégorie d'âge tout à fait spécifique devrait se donner pour le moins trois tâches prioritaires :

- travailler à la compréhension du 5e stade propre à la vie adulte, quelle que soit la dénomination de ce stade multiforme : métacognitif, dialectique..., stade apte à assurer la conscience critique *(Awareness)* et l'armature intellectuelle *(Thinking)* pour analyser les situations ;

- étudier les conditions par lesquelles l'adulte va organiser ses propres transitions au sein de son itinéraire de vie, lui permettant de développer une sensibilité appropriée *(Feeling)* face aux exigences nouvelles de son environnement ;
- déterminer la façon par laquelle l'adulte va pouvoir accéder à son potentiel d'expériences et pourra utiliser au mieux ce potentiel *(Experiencing)*.

Ces trois tâches essentielles rejoignent d'une certaine façon les quatre facettes du *self* adulte telles que D.-C. Kimmel les a mises en évidence : *experiencing, awareness, feeling, thinking* (1990).

IV. – **Qu'est-ce qu'être actif aujourd'hui ?**

Il nous faut maintenant rendre compte de ce paradoxe central dans notre contexte de crise culturelle et qui confère au concept d'adulte toute son actualité : alors que cette crise contraint un nombre croissant d'adultes à l'inactivité forcée, les théories élaborées, que nous venons de passer en revue nous montrent comment ce qui fait l'authenticité de l'adulte réside dans sa capacité à être actif à travers les tâches développementales qu'il est susceptible de réaliser. Comment donc aménager un tel paradoxe ? Comment par ailleurs ce paradoxe aujourd'hui incontournable peut-il nous aider à repenser certains cadres théoriques pris à contre-pied par l'actualité, pour mieux asseoir la spécificité de l'adulte ? De ce point de vue la crise actuelle est une épreuve de dévoilement au regard des significations nouvelles qui pourraient enrichir l'identité adulte. Car de trois choses l'une : l'adulte est-il cet être en quête de toujours plus d'autonomie et de maturité que nous dépeint la psychologie humaniste ? Au contraire peut-on le considérer d'avance comme condamné par sa propre histoire à l'instar de la psychanalyse ? Mais par ailleurs l'adulte s'identifie-t-il à cet individu voué aux destinées les plus chaotiques qui permettront à quelques-uns de réussir, à beaucoup de suivre un itinéraire anonyme qui les conduira vers des horizons brumeux, à d'autres enfin de sombrer dans un plus grand assujettissement ?

Le paradoxe que nous venons d'évoquer jette une suspicion sur la possibilité d'être adulte dans notre culture ; il nous contraint pour le moins à revenir, mais sous un jour inédit, à la question que déjà H. Arendt se posait voici quarante ans : *Qu'est-ce qu'être actif ?*[1]. Cette question reprise aujourd'hui recèle son caractère provoquant compte tenu du contexte et situe bien l'enjeu auquel se trouve confronté tout adulte qui souhaitant vivre en adulte s'interroge : qu'est-ce qu'être actif dans une culture post-industrielle ?

Si l'âge adulte définit le moment où cherchent à s'exprimer au mieux les potentialités d'un individu, si cet âge est celui qui se trouve en charge des destinées du groupe social auquel il appartient, alors nous devons nous interroger : quelle place faire aux adultes dans notre société pour qu'ils assument pleinement leur rôle ?

Plutôt que de répondre trop vite et de façon factice à une telle question, essayons d'abord de voir en quels termes elle se pose. Or ce que nous pouvons actuellement observer c'est une ségrégation qui se durcit au sein de la société adulte entre deux classes contrastées, les actifs voire suractifs mis pour un temps dont la durée est variable dans une situation privilégiée, les oisifs plus ou moins consentants, plus ou moins forcés, pris dans une problématique de précarité ; entre ces deux groupes, des relations sociales malmenées se font jour, symbolisant le résultat d'une société qui a perdu le sens de ce que pourrait être son orientation.

Une telle ségrégation nous permet de saisir en quoi les questions de l'âge adulte restent des questions liées à l'usage que l'individu fait de son expérience, d'une expé-

1. Cf. *The Human Condition,* 1961, en trad. franç. : *Condition de l'homme moderne,* Paris, Calmann-Lévy, 1983.

rience-coquille vide qui le fragilisera ou d'une expérience structurante qui peu à peu va le constituer. C'est donc du côté des conditions d'élaboration de cette expérience qu'il nous faudrait déplacer notre attention pour mieux cerner les enjeux du questionnement que nous posions un peu plus haut.

Conclusion

DE NOUVEAUX ENJEUX : DE LA PERTE STRUCTURALE À LA RECOMPOSITION DYNAMIQUE

> Nous avançons, nous avançons le front comme un delta,
> Nous reviendrons nous aurons à dos le passé
> Et d'avoir pris en haine toutes les servitudes
> Nous serons devenus des bêtes féroces de l'espoir.
>
> Gaston Miron, *L'homme rapaillé.*

Le constat que nous avons fait jusqu'ici à propos de différentes situations de la vie adulte nous montre l'évidement d'un concept au regard des pratiques culturelles que nous pouvons aujourd'hui observer ; ces pratiques tendent à nous révéler la grande vulnérabilité de l'adulte laissé seul face à lui-même, à son individualité, à sa fragile autonomie. Cet adulte a perdu ses attributs statutaires ; il a perdu sa prétention à la maîtrise qui caractérisait depuis de nombreuses générations sa condition.

I. – Dynamique des temps vécus

Une telle situation n'est toutefois pas rédhibitoire, surtout si nous l'appréhendons du côté des dynamiques temporelles ; ces dernières en effet apparaissent finalement beaucoup plus riches qu'auparavant grâce à une plus grande variété d'expériences vécues auxquelles chaque adulte peut se référer, dans le cadre de notre culture informationnelle et communicationnelle ; ces dynamiques par ailleurs se trouvent enrichies du fait de l'allongement de la vie et d'une scolarisation généralisée que prolonge une pratique de formation permanente ; au-delà de ses aspects pernicieux, une telle pratique donne l'occasion privilégiée à l'adulte de se réapproprier sa propre expérience à intervalles réguliers ; et dans le meilleur des cas cette appropriation sera source de créativité : l'expérienciation, l'histoire de vie, les réseaux de partage de savoirs vont permettre une relecture dynamique et interactive de la mémoire pour débarrasser cette dernière de certaines de ses scories.

À ces modèles d'investigation du passé, qui diversifient les temporalités de la vie adulte, il faudrait rajouter l'exploration des possibles que permet une attitude offensive d'anticipation, de vigilance face aux opportunités de l'environnement, d'élucidation de ses propres intentions. Pour modaliser les temporalités qu'il nous est donné de vivre, il est nécessaire de faire appel à l'extension de notre horizon temporel prospectif à travers les sollicitations à projeter nos propres entreprises dans un futur plus ou moins lointain ; les différentes mobilisations autour du projet peuvent certes avoir un caractère assujetissant et pervers ; elles peuvent aussi stimuler les intentions de l'individu amené à explorer pour lui son univers d'éventualités et les échéances qu'il confère à la réalisation de telle ou telle de ces éventualités susceptible de rejoindre ses intentions. Les phénomènes de planification d'un dispositif à réaliser, de préparation d'une démarche complexe, d'amortissement d'un investissement constituent à ce sujet des exemples significatifs de notre vie quotidienne, dans lesquels l'intention est prise à son propre jeu de devoir inscrire dans le réel le possible qu'elle aura privilégié.

II. – Sollicitations du temps présent et analyse des correspondances

Investigation du passé et exploration des possibles sont indissociables pour assurer la dynamique d'un itinéraire de vie ; elles constituent cette méthode progressive-régressive chère à J.-P. Sartre (1960), méthode structurante de toute subjectivité. Mais à côté de la réappropriation de sa propre mémoire et de l'explicitation de ses intentions, il est nécessaire d'évoquer l'importance à donner au moment présent, notamment à travers la mise à jour de ce que l'on pourrait appeler une théorie des correspondances ; une telle théorie devrait nous aider à explorer cette capacité de l'adulte à tisser momentanément des liens de familiarité entre des expériences de nature différente vécues de façon concomitante ; ces expériences hétérogènes ont pour exigence d'avoir à outrepasser le hasard apparent qui les voit émerger pour trouver au-delà de la concomitance le lien de familiarité, de connivence qui les relie et qui va les éclairer les unes les autres dans leurs significations respectives ; cette exigence sera rendue effective si l'adulte profite de la circonstance pour remonter de façon renouvelée à l'origine des expériences, dans son histoire personnelle : ainsi prendre par hasard connaissance dans son journal quotidien d'un article documentaire sur le Canal du Midi, réalisation technique jugée jusqu'ici sans intérêt, et le faire à un moment du retour d'un séjour à Toulouse, séjour au cours duquel on avait jeté un œil plus ou moins distrait sur cette réalisation, en sortant de la gare : de deux choses l'une : ou l'on passe outre à la concomitance de ces deux événements, ou l'on opère une mise en correspondance entre la lecture de l'article de journal et son récent séjour méridional pour en tirer de nouvelles significations ancrées dans les origines de la connaissance obtenue sur le canal et la ville de Toulouse. L'expérience vécue dans sa richesse et sa diversité est justement le lieu d'un grand nombre de correspondances à assurer, de rencontres à faire advenir entre événements différents, qui ne prennent un sens inédit qu'à travers leur rapprochement spatial ou temporel ; la pauvreté de l'expérience vécue tient justement à une continuelle dissociation des événements les uns des autres.

Lorsque nous appréhendons notre société informationnelle sous son jour le plus prometteur, nous constatons qu'elle favorise dans le meilleur des cas, grâce à la multiplicité des signes qu'elle met à notre disposition, une plus grande conscientisation et en aiguisant la curiosité, elle encourage une variété d'expériences ; la formation continue, entre autres, constitue un outil qui permet de devenir de plus en plus sensible à travers des occasions nombreuses, à cette mise en correspondance d'événements jusqu'ici séparés et chaotiques ; une telle mise en correspondance dans certains cas peut prendre la forme d'une véritable expérienciation ; ainsi en a-t-il été de cette stagiaire de soixante ans venue écouter une conférence et en l'écoutant qui regarde distraitement par la fenêtre, percevant dans la cour en face d'elle des marronniers qui subitement lui rappellent les marronniers de la cour d'école de son enfance ; ces marronniers considérés jusqu'ici dans une grande banalité, à la faveur d'une telle mise en correspondance spontanée avec le cadre de l'audition d'une conférence, réactualisent sa participation aux leçons du maître d'école d'antan. De ce fait, ils vont acquérir pour elle désormais des significations vivaces à explorer, qui ne la quitteront plus.

III. – Parachèvement expérientiel et lien social

Nous le voyons, l'adulte est aujourd'hui de plus en plus sollicité perceptivement par le spectacle du monde et cette situation est une continuelle invitation pour ressaisir la dimension dynamique de sa propre expérience, pour reconnaître le caractère cyclique de ses temporalités, dont il doit apprendre à identifier les rythmes ; à travers toutes les informations qu'il n'arrive pas à maîtriser, la diversification sans fin des connaissances, il prend mieux conscience dans les nouvelles expériences qu'il peut faire de l'inachèvement permanent auquel il est confronté ; il lui reste à retrouver un possible et indispensable lien social qui l'aide à situer et valider son itinéraire expérientiel ainsi que la lecture qu'il en fait ; car le traitement de son expérience sera problématique si l'adulte est virtuellement en situation de grande passivité voire d'exclusion sociale ; les liens de connivence entre des pans différents de son histoire ne pourront être tissés qu'à partir des liens de familiarité sociale ; c'est bien cette dernière qui fait actuellement défaut malgré les moyens plus ou moins artificiels que nous prenons en développant les différentes pratiques de bilan, de conseil et de mise en projet.

Alors la tâche urgente à laquelle notre culture se trouve aujourd'hui confrontée, c'est sans doute celle d'une recomposition dynamique de la vie adulte à partir d'une double préoccupation, celle d'un processus expérientiel à faciliter, celle d'un lien social à reconstituer. C'est à partir de ces deux préoccupations que la personne adulte pourra faire les explorations dynamiques indispensables à son actualisation. Cette exploration dynamique de son temps vécu afin d'en tirer de nouvelles capacités d'action semble être la seule condition pour que l'adulte apprenne à se passer de structures identitaires fortes, dorénavant problématiques parce que trop défensives et inadaptées. C'est dire que notre identité personnelle est destinée à faire l'économie de repères structuraux trop consistants, et ceci pour un temps assez long, celui pour le moins de l'actuelle période de mutation que nous connaissons. Tout en continuant à utiliser des repères identitaires devenus flous, voire mous, de la professionnalité, de la formation, de la famille, de la sensibilité idéologico-religieuse, il nous faudra compenser par l'aptitude à parachever notre capital d'expériences et trouver dans ce parachèvement les indices malgré tout d'une certaine permanence identitaire. Mais un tel parachèvement implique que l'actuel lien social ne continue pas à se déliter en marginalisations et exclusions sans cesse plus nombreuses.

IV. – Entre projet et destin

Tel est actuellement ce nouveau contexte culturel dans lequel évoluent les adultes au sein de nos sociétés post-industrielles où la valorisation de l'innovation le dispute à l'éphémère, l'ombre du doute à la lumière de la rationalisation, la prouesse de la réalisation technique à l'échec d'un engagement existentiel. Ce contexte fait de situations on ne peut plus ambivalentes lance un défi et implique de pouvoir faire face à la perspective incontournable de ce défi selon un mode approprié : au regard d'une perte structurale de son identité, l'adulte doit pouvoir compenser cette perte par une recomposition dynamique en se construisant un itinéraire de vie, un trajet qui ait sens pour lui, s'il sait contourner les obstacles et écueils de son environnement. Quelle que soit la conjoncture, la vigilance dans la construction lente et tâtonnante de cet itinéraire est sans doute la nouvelle façon pour un adulte de demeurer aujourd'hui actif.

S'interrogeant sur le sens de la crise culturelle que nous vivons actuellement, l'architecte italien G.-C. Argan écrivait récemment[1] : « On ne peut que remettre en question le sens de l'aventure humaine. Il s'agit de savoir si tout ce qui s'est produit est projet ou destin, si l'homme a construit selon ses propres desseins ou s'il n'aurait pas plutôt

1. In *Projet et destin, art, architecture, urbanisme,* Les Éditions de la Passion, 1993, p. 13.

réalisé ce qui était déjà écrit et décidé. » De tels propos s'appliquent directement à l'architecture d'une vie adulte en quête d'élucidation ; cette vie occupe l'interface entre projet et destin, un projet qui de façon tâtonnante cherche à se dire et à s'écrire, un destin qui prescrit sous une double forme, celle de notre nature, ce roc biologique nous contraignant à penser la fin inéluctable de notre propre mort, celle de notre culture en l'occurrence post-moderne, ce roc sociologique qui nous donne l'impression de vider l'adulte de son contenu substantiel[1]. Sachant que la culture bien souvent rejoint la nature dans sa propension à pratiquer les extrêmes, donner par excès, retenir par pénurie, le défi alors lancé aux projets adultes se précise ; il visera à réguler au mieux le cours capricieux de la nature et le fonctionnement anarchique de notre culture.

La tâche d'une psychologie de la vie adulte consistera donc à cerner cet espace transitionnel mouvant et projectif qui circule entre ces deux rocs ; un tel espace transitionnel organise les projets individuels à l'interstice du double destin qui les contrôle ; comment donc appréhender cet espace qui associe les possibles des projets et les contraintes du destin, surtout lorsque ces projets eux-mêmes se laissent souvent prendre par les sirènes de n'importe quelle idéalisation et nous précipitent vers un nouveau roc, celui-là psychologique, celui de nos caprices et illusions ? Alors plus modestement pour une psychologie de la vie adulte, face à la tyrannie de nos projets et aux contraintes de notre destin il s'agira en guise d'espace transitionnel de comprendre ce ressaut qui nous fait malgré tout et contre tout encore exister et donc espérer.

1. Nous reprenons ces deux formulations de roc biologique et roc sociologique à A.-M. Alleon, in *Devenir adulte,* Paris, PUF, 1990.

BIBLIOGRAPHIE

Anutrella T. (1990), *Interminables adolescences,* Paris, Cujas-Le Cerf.

Artaud G. (1985), *L'adulte en quête de son identité,* Éditions de l'Université d'Ottawa.

Attias-Donfut Cl. (1988), *Sociologie des générations, l'empreinte du temps,* Paris, PUF.

Binswanger L., *Introduction à l'analyse existentielle,* Paris, Éditions de Minuit (trad.).

Birren J.-E., Schaie K.-W. (1977), *Handbook of the Psychology of Aging,* Van Nostrand, Reinhold.

Bocknek G. (1980), *The Young Adult, Development after Adolescence,* Cole Publishing Company.

Bourdieu P. (1980), *Le sens pratique,* Paris, Éditions de Minuit.

Boutinet J.-P. (1990), *Anthropologie du projet,* Paris, PUF, 1993, 3e éd.

Boutinet J.-P. (1998), *L'Immaturité de la vie adulte,* Paris, PUF.

Brechon P. (2000), *Les valeurs des Français. Évolutions de 1980 à 2000,* Paris, A. Colin.

Bridges W. (1980), *Transitions, Making Sense of Life's Changes, Strategies for Coping with the Difficult Painful and Confusing Times in your Life,* Addison-Wesley.

Bugental J.-F. T. *et al.* (1967), *Challenges of Humanistic Psychology,* en trad. franç. : *Psychologie et libération de l'homme,* Verviers, Marabout, 1973.

Bujold Ch. (1989), *Choix professionnel et développement de carrière, théories et recherches,* Québec, Gaëtan Morin.

Colarusso C., Nemiroff R.-A. (1981), *Adult Development, a new Dimension in Psychodynamic Theory and Practice,* Plenum Press.

De Grace G.-R., Joshi P. (1986), *Crises de la vie adulte,* Montréal, Decarie.

Dewey J. (1947), *Experience and Education,* Paris, A. Colin (trad.).

Dominice P. (1990), *L'histoire de vie comme processus de formation,* Paris, L'Harmattan.

Dubar Cl. (1991), *La socialisation, construction des identités sociales et professionnelles,* Paris, A. Colin.

Erikson E. H. (1978), *Adulthood Essays,* NY, Norton.

Ferraroti M. (1983), *Histoire et histoires de vie,* Librairie Méridiens.

Freud S. (1921-1938), *Résultats, idées, problèmes, II,* Paris, PUF, trad. 1985.

Freudenberger H.-J. (1987), *L'épuisement professionnel, la brûlure interne,* Montréal, Gaëtan Morin.

Gaullier X. (1988), *La deuxième carrière,* Paris, Le Seuil.

Gennep Van A. (1909), *Les rites de passage,* NY, Johnson.

Gognalons-Nicolet M. (1989), *La maturescence, les 40-65 ans, âges critiques,* Lausanne, Favre.

Goldfinger Ch. (1994), *L'utile et le futile,* Paris, Fayard.

Goldhaber D. (1986), *Life-Span Human Development,* en trad. franç. : *Psychologie du développement,* Québec, Études vivantes, 1988.

Gould R.-L. (1978), *Transformations,* New York, Simon & Schuter, 1978.

Habermas J. (1987), *Théorie de l'agir communicationnel,* Paris, Fayard.

Houde R. (1986), *Les temps dans la vie adulte, le développement psychosocial de l'adulte selon la perspective des cycles de vie,* Montréal, Gaëtan Morin.
Jacques R. (1963), Mort et crise du milieu de la vie, in *Psychanalyse du génie créateur,* Paris, Dunod (trad.), 1974.
Kaës R. *et al.* (1979), *Crise, rupture, dépassement,* Paris, Dunod.
Kierkegaard S. (1843), *La reprise,* Paris, Flammarion, 1990 (trad.).
Kimmel D.-C. (1990), *Adulthood and Aging, an Interdisciplinary Developmental View,* New York, John Wiley, 3e éd.
Knowles M. (1972), *The Modern Practice of Adult Edueation,* New York, Association Press.
Knowles M. (1973), *L'apprenant adulte,* Paris, Les Éditions d'organisation (trad.), 1990.
Kolb D. (1984), *Experiential Learning, Experience as the Source of Learning and Development,* Englewood Cliffs.
Lapassade G. (1963), *L'entrée dans la vie, essai sur l'inachèvement humain,* Paris, Éditions de Minuit.
Lazarus S.-R., Folkman S. (1984), *Stress, Appraisal, Coping,* New York, Publishing Company.
L'Écuyer R. (1994), *Le développement du concept de soi, de l'enfance à la vieillesse,* Les Presses de l'Université de Montréal.
Lesne M. (1977), *Travail pédagogique et formation d'adultes,* Paris, PUF.
Levinson D. (1978), *The Seasons of a Man's Life,* New York, Ballantine Books.
Lhotellier A. (2001), *Tenir conseil, délibérer pour agir,* Paris, Sali Arslan.
Lorenzi-Cioldi (1994), *Les androgynes,* Paris, PUF.
Manus A. (1987), *Psychoses et névroses de l'adulte,* Paris, PUF.
Mead M. (1971), *Le fossé des générations,* Paris, Gonthier-Denoël (trad.).
Nerugarten B. (1969), *Middle Age and Aging,* Chicago Press.
Osterrieth P. (1967), *Faire des adultes,* Bruxelles, Dessart.
Pelletier D., Noiseux G., Bujold Ch. (1974), *Développement vocationnel et croissance personnelle,* Montréal, McGraw-Hill.
Piaget J. (1972), Intellectual evolution from adolescence to adulthood, *Human Development, 15,* 1972, 1-2, p. 1-12.
Pineau G., Le Grand J.-L. (1993), *Les histoires de vie,* Paris, PUF.
Politzer G. (1929), *Critique des fondements de la psychologie,* Riedes.
Postman N. (1983), *Il n'y a plus d'urgence,* Paris, INSEP.
Riverin-Simard D. (1984), *Étapes de vie au travail,* Montréal, Éditions Saint-Martin.
Riverin-Simard D. (1996), *Travail et personnalité,* Les Presses de l'Université Laval, Québec.
Roussel L. (1989), *La famille incertaine,* Paris, Odile Jacob.
Sartre J.-P. (1960), *Critique de la raison dialectique,* Paris, Gallimard.
Schlossberg N.-K. (1984), *Counseling Adults in Transition, Linking Practice with Theory,* Springer Publishing Company.
Sheehy G. (1974), *Passages, Predictable Crisis of Adult Life,* en trad. franç. : *Les passages de la vie, les crises prévisibles de l'âge adulte,* Belfond, 1977.
Saint-Arnaud Y. (1982), *La personne qui s'actualise,* Québec, Gaëtan Morin.
Super D. (1957), *Psychology of Careers,* New York, Harper.
Tanguy L. (1986), *L'introuvable relation formation-emploi,* Paris, La Documentation française.
Tap P. (1988), *La Société Pygmalion,* Paris, Dunod.

Vandenplas-Holper Ch. (1998), *Le développement psychologique à l'âge adulte et pendant la vieillesse, maturité et sagesse,* Paris, PUF.
West M.-L., Sheldon-Keller A.-E. (1994), *Patterns of Relating, an Adult Attachment Perspective,* New York, The Guilford Press.
Whitbournes S., Weinstock C. (1979), *Adult Development, the Differenciation of Experience,* New York, Holt, Rinehart.
Winnicott D.-W. (1971), *Jeu et réalité,* Paris, Gallimard (trad.), 1975.

TABLE DES MATIÈRES

Imprimé en France
Imprimerie des Presses Universitaires de France
73, avenue Ronsard, 41100 Vendôme
Novembre — N° 49 700